TU T'ES VU QUAND TU TRICHES ?

TU T'ES VU QUAND TU TRICHES ?

MARIE-AUDE MURAIL
ILLUSTRÉ PAR DANIEL CHEVET

De La Martinière

Jeunesse

UN MONDE DE BRUTES

TRICHER N'EST PAS JOUER

LA VULGARITÉ, ÇA CRAINT !

T'AS PAS UNE CLOPE ?

ET SI ON DEVENAIT GRAND ?

CE LIVRE N'A PAS ÉTÉ ÉCRIT POUR VOUS RAPPELER QUE CE N'EST PAS BEAU DE MENTIR ET QUE CE N'EST PAS BIEN DE VOLER.

En gros, vous le savez. J'ai voulu vous parler ici de quelques cas où la frontière entre le bien et le mal semble plus floue, où, comme dans l'émission de télévision, « ça se discute ».

J'ai choisi pour fil conducteur le journal intime d'un garçon de 12 ans, un garçon qui n'est ni un rebelle ni un modèle. Avec Serge T., vous allez jouer à écraser des piétons sur un écran, tricher en demandant aux cinquièmes B les questions de l'interro, choquer Mamie en vous exclamant : « C'est quoi, ce bordel ? » et fumer votre première cigarette. Ce n'est pas bien tout ça ? Mais est-ce qu'on ne grandit pas aussi en faisant des bêtises ? Où est la limite à ne pas franchir ?

Les adultes hésitent de plus en plus à vous dire ce qui est bien et ce qui est mal. Ils ont peut-être peur de passer pour des ringards. Pourtant, les adultes ont une opinion. Qui se discute. Alors, discutons...

Marie. André Brunil

Un monde
de brutes

4 janvier 1999

Maxime a apporté une démo de Grand Theft Auto à la maison. C'est un jeu éclatant. C'est toi le killer. Quand tu écrases les flics, ça fait schplitt avec plein de sang qui s'étale sur l'écran. Éclatant.

– Alors, tu vois, m'a dit Maxime, ta mission, c'est de récupérer la drogue.

Il était en train de conduire sa bagnole à fond la caisse dans la ville.

– Tiens, je me fais l'ambulancier. Schplitt. Je prends l'ambulance. P'tain ! Un barrage de flics. T'as vu ? C'est eux qui m'agressent ! P'tain ! Je suis mort.

Sur l'écran s'est inscrit : « REFROIDI ». J'ai dit :

– T'es nul. Passe-moi la manette !

Mais Max était scotché à l'écran. Il n'y a jamais moyen de jouer avec lui. J'ai essayé de lui prendre la manette de force. Il m'a repoussé en criant :

– Mais vas-y, casse-toi ! J'ai que quinze secondes pour rapporter la drogue. C'est timé. 12. 11. P'tain ! Je vais encore me...

« REFROIDI ». J'ai rigolé. Éclatant, ce jeu. Il faut que je me le fasse offrir pour mon anniv'.

6 janvier

C'est incroyable, cette famille que j'ai. Ils ne comprennent rien. J'ai montré à maman l'article sur Grand Theft Auto dans mon magazine. Elle a lu à voix haute :

– « Vous êtes dans le camp des méchants. Vous devez parcourir la ville de la façon la plus meurtrière possible en effectuant vos missions. Si en chemin des flics se jettent sous vos roues, ce n'en est que mieux ! »

J'ai précisé :

– J'ai vu la démo, c'est éclatant !
– Mais c'est infect ! s'est exclamée Maman.
J'ai écarquillé les yeux :
– Quoi qu'est infect ?
– Mais ce jeu, Serge. Tu sais combien il y a eu de morts sur les routes au week-end du 1er janvier ? Plus de cent, et beaucoup de jeunes.
– Ça n'a pas de rapport.
– J'en sais rien. En tout cas, c'est un jeu infect et je ne veux pas que tu l'aies.
Incroyable, cette famille. Mais je m'en fous. Max a acheté le jeu. Je vais le recopier sur mon ordi.

13 janvier
Mon frère Jérôme est entré dans ma chambre. Il a 16 ans mais, comme il a redoublé, il est en troisième. Je lui ai montré Grand Theft Auto. Je fais des progrès. À mon casier judiciaire (c'est les scores qui s'appellent comme ça), j'avais dix carambolages et un hold-up. Mon frère n'avait pas trop l'air de m'écouter.
– Tu connais Thomas ? m'a-t-il dit tout à coup.
– Thomas ? Ton copain ?
– Ouais. Il s'est fait renverser par une voiture et le conducteur s'est même pas arrêté.
C'est toujours le même topo qu'on me sort ! J'ai bougonné :
– Un jeu, c'est pas la vie.
– La vie, c'est pas un jeu, m'a répondu Jérôme. Thomas... c'est pas sûr qu'il remarchera.
– Tu veux dire qu'il sera dans un fauteuil roulant ?
Mon frère a seulement fait oui de la tête. Sur mon écran, il y avait écrit : « REFROIDI ».

Journal de Serge T. (12 ans)

Torturer les gentils sur votre console, aplatir les piétons sous vos pneus? Oui à Tower Keeper, oui à Carmaggedon? Vous aimez les dessins animés où les bons tapent encore plus fort que les méchants? Oui à *Batman,* oui à *Dragon Ball Z?* Vous regardez les téléfilms du dimanche? Oui à *Walker Texas Ranger,* oui aux *Dessous de Palm Beach?* Et sur grand écran, vous êtes un adepte de la casse en bagnole et des serial killers? Oui à *L'Arme fatale,* oui à *X-files?*

Vous n'avez sans doute pas coché « oui » à chacune de mes questions. Mais cela m'étonnerait que vous ayez toujours répondu « non ». Maintenant, répondez-moi sincèrement : à quand remonte votre dernier crime? Je vous pose cette question car certains adultes pensent que si la criminalité augmente chez les jeunes, c'est...

LA FAUTE À LA TÉLÉVISION ET AUX JEUX VIDÉO

Trois adolescents cagoulés entrent dans une épicerie. L'un deux pointe sur l'épicière un 357 Magnum. Il exige le contenu de la caisse. L'épicière a remarqué la petite taille des agresseurs et elle ne se laisse pas intimider. Le coup part, l'épicière s'effondre et les gamins détalent sans même prendre l'argent de la caisse. Mauvais scénario télé? Eh non, ça s'est passé un mercredi près de Rouen. Les meurtriers avaient 14 et 15 ans. Ils

avaient minutieusement préparé leur forfait, jusqu'à prévoir des vêtements de rechange. L'un deux a pris l'arme de service de son beau-père et l'a chargée. Ces gamins n'étaient pas des loubards. Personne n'avait eu à se plaindre d'eux. « Ils évoluaient dans un monde virtuel* », a-t-on voulu expliquer. Ils tuaient sur leur écran. Un jour, ils ont tué vraiment.

JEUX TE TUENT !

Vous savez bien que les innombrables amateurs de Doom et autres jeux de dégommage n'ont pas tué leur épicière. Certains éducateurs vont jusqu'à penser qu'on tuera d'autant moins son épicière qu'on aura décapité des aliens sur son ordinateur. Ça défoule, comme disent les jeunes. La violence qui est en nous, il faut bien qu'elle s'exprime quelque part. Après tout, vos parents jouaient à « pan, t'es mort » dans la cour de récré. Mais ces mêmes parents vont vous interdire le flingue-laser de chez Nerf. Or, comme le rappellent les psychologues, l'interdiction de violence doit porter sur les faits et gestes, pas sur l'imaginaire.

* **Le *virtuel*, c'est ce qui n'est pas réel, mais qui donne l'illusion de la réalité.**

Chacun doit se sentir libre dans son espace intérieur. Mais votre monde intérieur est lui-même envahi par des films, par des jeux, par des images qui ne vous appartiennent pas, qui sont fabriqués par des adultes et qui sont d'une violence systématique. Peut-on rêver violent, imaginer violent, consommer de la violence virtuelle sans devenir soi-même violent? Certains journalistes, en relatant des faits divers monstrueux, ont fait le rapprochement avec un film tel que *Tueurs-nés* d'Oliver Stone ou le plus récent *Matrix* qui entraîne dans un glauque univers de jeu vidéo. En clair, certaines images violentes peuvent-elles faire de nous des brutes ou même des assassins?

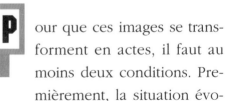

COMME AU CINÉMA

Pour que ces images se transforment en actes, il faut au moins deux conditions. Premièrement, la situation évoquée par le film doit réveiller des souvenirs pénibles, des traumatismes*. Deuxièmement, il faut que l'enfant ou l'adolescent vive dans une famille où la violence est valorisée, où les armes sont présentes et disponibles. Alors, il pourra se poser la question : pourquoi ne pas faire comme le héros du film et se venger d'humiliations ou de brimades

---

* **Le mot *traumatisme* vient du grec *trauma*, qui signifie blessure. Un traumatisme est un événement qui bouleverse la vie d'une personne et entraîne chez elle des troubles durables (cauchemars, angoisse, abattement, etc.).**

en tirant dans le tas? Cela s'appelle en langage psy le « passage à l'acte ». C'est heureusement rarissime, mais cela pourrait expliquer certains carnages insensés comme celui de Jonesboro, aux États-Unis, où deux enfants de 11 et 13 ans, ayant pris une dizaine d'armes à feu dans leur famille, ont tiré sur leurs copains de classe comme à un stand de foire! La veille, ils avaient dit qu'ils allaient se venger de ceux qui ne les aimaient pas. Se sont-ils crus dans un film?

▶ Entre 15 et 24 ans, l'homicide est la deuxième cause de mort des Américains. Toutes les trois heures, un enfant américain meurt, tué par une arme.

Personne n'a pu à ce jour prouver que tel épisode de *Miami Vice* ou telle séquence de *Terminator* avait directement inspiré un jeune meurtrier. Mais, contrairement à ce que certains prétendent, le spectacle de meurtres et de bagarres n'a jamais défoulé personne. Vous

> George Miller, réalisateur de *Mad Max*, a écrit : « Un jour, un homme s'est garé en face de mes bureaux. Non seulement il portait un costume identique à celui de Mad Max, mais sa voiture était aussi la même que celle de mon film. Pendant une semaine, il est venu là de 9 heures à 17 heures, le regard perdu dans le vague. Puis il a disparu. Combien d'entre nous, enfants dans les années cinquante, se sont blessés en se prenant pour Superman et en sautant du toit du garage avec un drap en guise de cape ? Regardez les enfants quand ils jouent et vous comprendrez à quel point nous nourrissons la culture urbaine américaine par le biais des films et de la télévision. Si ces derniers ont une influence sur notre façon de nous vêtir, de parler, de bouger, de jouer, comment pouvons-nous être sûrs qu'ils n'influencent pas aussi notre comportement à un niveau moral ? »

avez pu le constater sur vous-même. Les films violents provoquent une excitation physique qui ne disparaît pas au moment du générique final. Vous avez accumulé une certaine tension à regarder des scènes d'action en restant immobile et vous avez des fourmis dans les jambes. Cette excitation est plus sensible chez les garçons que chez les filles, et plus évidente chez ceux qui sont déjà agressifs. Que va-t-on faire de cette excitation ? Sur le moment, elle peut s'exprimer par des simulacres de baston ou par des gestes réellement brutaux. Puis elle va s'apaiser.

Mais si un jeune voit régulièrement des spectacles violents, son comportement quotidien risque de s'en trouver modifié. Vivant sous tension, c'est sur les autres qu'il va se défouler. Qui ne connaît ces agités qui ne cessent de bousculer les copains de classe ? C'est dès la maternelle qu'on s'écarte d'eux parce que, au jeu de « pan, t'es mort », eux, ils tapent « pour de vrai ».

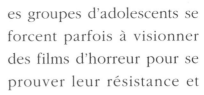

LA VIOLENCE « POUR DE FAUX » ?

Des groupes d'adolescents se forcent parfois à visionner des films d'horreur pour se prouver leur résistance et leur... virilité. De même, l'armée américaine utilise les jeux vidéo pour habituer les jeunes recrues à tirer sur des cibles sans se poser de cas de conscience. S'habituer à la violence, c'est perdre peu à peu toute sensibilité. Or un homme totalement privé de sensibilité, ce n'est pas un « vrai homme », c'est un psychopathe*.

Les Américains, que la violence d'une certaine jeunesse affole, multiplient les études et les statistiques sur la télévision. Il a ainsi été démontré que les « méchants » des programmes télévisés

▶ Quels sont les goûts des jeunes au cinéma ? Un sondage commandé par le ministère de la Culture en 1991 indique que le rire vient en premier. Les filles ne sont que 27 % à prétendre aimer les films qui font peur, contre 46 % des garçons.

* Un *psychopathe* est un malade mental très instable, très impulsif, qui a une tendance au « passage à l'acte » (viol, vol, coups...).

ne sont punis que dans 40% des cas, et rarement par la justice. Les méchants sont sommairement expédiés par des policiers flingueurs ou des justiciers sans mandat. Comme le proclamait l'affiche du film *Peur primale* : « En matière de justice, l'important, ce n'est pas d'avoir raison, mais de vaincre. » Et la publicité du jeu vidéo Saga enfonce le clou : « Peu importe les moyens : les perdants ont toujours tort. »

On a comptabilisé que, dans les séries télévisées, 40 % des personnages agressifs sont en fait des héros. Les plus jeunes téléspectateurs n'arrivent même plus à repérer qui est le gentil de l'histoire. À la belle époque du dessin animé *Goldorak*, une enquête avait montré que les petits téléspectateurs avaient peur de Goldorak, qui était en principe le « bon », mais qu'ils percevaient comme le méchant. Comment s'y retrouver quand tous les personnages, bons ou mauvais, agissent par vengeance ? Quand, le visage tordu par la haine, ils utilisent les mêmes arguments pour négocier, c'est-à-dire l'« astéro-hache » et le « fulguro-poing » ?

Dans 75 % des cas, on ne voit à l'écran aucune conséquence négative de la violence. « Ces scènes, dit une enquête, enseignent aux enfants que la violence peut être désirable, nécessaire et sans douleur. » Les blessures, l'agonie, le chagrin, le deuil y sont inexistants. Ce qui va dans le sens de ce que souhaite la société actuelle : ôter à la mort sa réalité. Autrefois, les enfants voyaient des gens sur leur lit de mort, ils allaient aux enterrements et se rendaient au cimetière en guise de promenade du dimanche. Bien ou mal, je ne sais pas, mais c'était ainsi. De nos jours, les gens qui souffrent et qui meurent sont escamotés à l'hôpital et à la morgue. Or la vie est de peu de poids si la mort n'existe pas. Les jeunes qui commettent des crimes atroces ne parviennent pas à comprendre la gravité de leur geste et, au dire des psychiatres qui les examinent, ne manifestent pas de regrets. Ils sont comme les petits enfants qui jouent. Regardez-les. L'un tire : « Pan, t'es mort. » L'autre s'effondre en faisant : « Aaah! », puis se relève en commentant : « Je serais mort et après… » Il oublie que « quand on est mort, c'est pour la vie ». Vous admettrez que ce ne sont pas les massacres en carton-pâte et les tueries virtuelles qui peuvent le lui apprendre.

LA VIOLENCE « POUR DE VRAI » ?

« C'est pas les dessins animés qui font le plus peur, m'a dit l'autre jour une petite fille de CM2. C'est les informations télévisées! » Car voici que surgit la violence « pour de vrai ». Et la mort en direct grâce aux journalistes de CNN. Vous êtes là, en famille. Vous venez d'écouter les revendications de grévistes de ceci ou de cela, vous attendez gentiment la météo. Et, sans crier gare, des images vous arrivent en pleine figure, des images de famine, de guerre, de cadavres, avec des cris, des pleurs, des sirènes

▶ **Quelles chaînes de télévision diffusent le plus de fictions violentes ?**

M6 : 40 %

TF1 : 30 %

France 3 : 15 %

France 2 : 14 %

(Enquête CSA sur la violence dans les fictions)

d'ambulances, des rafales de mitraillette. Rien n'a préparé la venue de ces images, aucune parole ne les suivra. Si votre petit frère, effaré, veut demander si ça s'est passé en bas de chez lui ou bien chez Pépé, on lui fait : « Chut, chut, la météo. » Mais même cette violence-là, qui se dit vraie, est fausse à sa manière. Elle est mise en scène par la caméra, elle est tronquée par le montage et elle est parfois truquée par le réalisateur, comme dans ces reportages bidonnés où des jeunes cassent des voitures pour pouvoir passer sur TF1. Cette violence des informations, dramatisée chaque soir par le

présentateur, finit par nous faire croire que tous les jeunes de banlieue rêvent de mettre le feu aux voitures, que tous les adultes en Belgique enlèvent les enfants pour les torturer, que tous les Serbes s'appellent Milosevic. Le monde des informations télévisées est un monde de cauchemars qui donnent à l'humanité tout entière un visage monstrueux. Vous savez bien que ce n'est pas votre réalité quotidienne. Pourtant, vous avez parfois peur, comme les enfants de Belgique ont eu peur après les affaires de pédophilie. La violence des informations télévisées peut vous rendre anxieux ou déprimé. Une enquête sur la santé des jeunes de 10 à 24 ans révèle que 41% des garçons et 54% des filles se déclarent nerveux; 27 et 53% se font du souci pour des choses pas graves; 17 et 24% ont des difficultés d'endormissement; 3 et 16% se sentent effrayés ou apeurés sans raison précise (source : Credes 1995).

Or, quand on vit dans la peur ou quand on est déprimé, on peut aussi réagir avec une violence incontrôlée. Pensez à ces adultes vivant comme des assiégés dans leur appartement et qui ont tué d'un coup de carabine des jeunes qui faisaient du bruit dans la rue.

DANS QUEL MONDE VIVONS-NOUS ?

Ni au Kosovo, ni dans l'Arkansas, ni dans une série B, ni dans un jeu vidéo. Mais en France, un pays où le port d'arme est interdit, où celui qui se fait justice lui-même va en prison. Malheureusement, c'est aussi un pays très permissif* à propos de la violence à l'écran. On programme des films très violents, comme *Extrême préjudice*, juste après le dîner. On note « tous publics » des films qui, aux États-Unis,

---

* **Une personne ou une société *permissive* tolère chez les individus des comportements (par exemple la grossièreté) que d'autres n'admettraient pas.**

sont interdits aux moins de 17 ans. On laisse dans le commerce un jeu vidéo comme Carmageddon, qui est interdit en Allemagne. Nos chaînes télévisées achètent par « paquets » aux États-Unis et au Japon des séries brutales et des dessins animés agressifs qu'elles réservent ensuite aux

jeunes enfants. Le dimanche après-midi tout entier est consacré sur TF1 à des téléfilms américains, cinq à la suite très exactement. Pendant tout un après-midi, le même message paranoïaque* est répété : « Tue l'autre avant qu'il te tue. » Le seul dialogue possible, c'est la baffe. La seule issue à un conflit, c'est le lance-flammes.

Comprenez-moi. *Scream 2* ou *L'Arme fatale 3* ne posent pas problème en soi. Un adolescent bien dans sa peau et bien entouré peut digérer des scènes de sadisme et d'horreur. Mais tous

▶ **Qu'est-ce qui rend les jeunes violents ?**
La démission des parents : 59 %
La télévision : 56 %
Le système économique
et le chômage : 51 %
(Sondage réalisé auprès d'adultes par CSA-*La Vie*, 1998)

* Une personne *paranoïaque* (vous dites plutôt parano) pense que la terre entière lui veut du mal, ce qui peut la rendre excessivement méfiante ou très agressive.

ces spectacles sont en libre accès, soit à la télévision, soit grâce à la location de cassettes. Ce qui signifie que de très jeunes enfants ou des individus fragiles psychiquement pourront les regarder, seront même parfois forcés de les regarder si le poste de télévision est allumé dans la pièce commune. Or on constate actuellement une montée de la violence chez les 8-12 ans. Insultes, bagarres, racket, casse, vol, individuellement ou en bande, ces comportements sont en augmentation chez les « petits frères ». Bien sûr, le chômage, la famille décomposée, l'échec scolaire expliquent cette violence. Mais dans ce monde qui ne leur propose plus de modèles, où les plus jeunes vont-ils chercher des grands à imiter? Sur les écrans de télé...

DANS QUEL MONDE VOULEZ-VOUS VIVRE ?

Pourquoi tant de violence sur vos écrans? Est-ce parce que cela vous plaît tant? Mais vous êtes capable d'aimer beaucoup d'autres choses. *Le Dîner de cons* et *Titanic* ont été les grands succès de l'année 1998. La vérité est d'une autre nature, et beaucoup plus scandaleuse. Les producteurs de films et de téléfilms ont compris que la violence peut se passer de bons scénaristes. Si un scénario devient « mou des genoux », on ajoute une scène où un méchant balance quelques claques dans la figure d'une jolie fille. Ça redonne du tonus. La violence ne demande pas beaucoup de créativité et elle ne coûte pas cher à fabriquer. Des cris, des dialogues qui ont déjà servi cent fois, une course-poursuite avec des sirènes de flics, et le film est bouclé. La violence, c'est également très facile à exporter : une scène de torture n'a pas besoin d'être traduite!

La violence a toujours existé, que ce soit dans l'imaginaire ou dans la réalité. Les hommes ont été encouragés à la violence depuis la nuit des temps. Chasse au mammouth oblige! Pour tuer les bêtes et pour garder leur territoire de chasse, les hommes devaient se battre. Certains auraient peut-être préféré fuir devant l'ennemi ou cueillir des myrtilles. La tribu ne leur demandait pas leur

avis. Vaincre ou mourir! Les récompenses devaient être à la hauteur du risque pris : plaisir de l'agressivité (aimablement prévu par la nature), meilleur morceau de mammouth (aimablement offert par la tribu) et dodo avec les plus jolies filles (aimablement consenti par le chef).

Vous avez dû le remarquer, les mammouths se font rares depuis quelque temps. La violence, elle, est restée et elle n'est plus liée à la survie de la tribu. Car les hommes ont inventé ce que la nature n'a jamais exigé d'aucun animal : les massacres et les tortures. C'est cette violence sadique et sans nécessité que vous proposent les écrans.

– Mais c'est pour rigoler! m'assurent les initiés de 12 ans.

Trouvez-moi plus ennuyeux qu'un téléfilm américain de base où le scénariste, de base également, a fait alterner une scène avec des filles au bord d'une piscine hollywoodienne et une scène de baston, tou-

jours au bord de la piscine, pour amortir le décor. Tous les ingrédients y sont : machisme*, vulgarité et sadisme. C'est tellement ennuyeux que, pour tenir jusqu'à la fin, vous avez dû dévaliser le frigo, taper sur votre petit frère et agrandir le trou du canapé. Vous avez même fait vos exos de maths! Dix fois par semaine sur votre écran de télé, vous voyez les mêmes bagarres, vous entendez les mêmes supplications : « Non, ne touchez pas à ma fille (variantes : à ma femme, ma sœur, ma grand-tante)! », et les mêmes répliques percutantes du salaud de service : « Avant de te tuer, on va s'amuser un peu. »

La violence sur écran n'a pourtant rien d'une obligation. Vous êtes libre de zapper. La télécommande, ce n'est pas fait pour votre chien. Vous vivez aussi dans le monde que vous vous fabriquez.

J'ai un fils de 11 ans qui a des jeux vidéo que je

---

* Le *machisme* est l'attitude du *macho*, un homme qui confond viril et brutal, et qui se croit supérieur aux femmes.

n'apprécie pas. Le temps n'est plus où les parents commandaient tandis que les enfants obéissaient. Fort heureusement pour vous, le parent de base est plus évolué que Terminator : il accepte le dialogue et la négociation. Je discute avec mon fils. De ses jeux vidéo, des films qu'il souhaite voir. Il a, bien sûr, envie de regarder des films « interdits aux moins de 12 ans » comme si ceux-ci allaient lui révéler la part cachée du monde ou le faire grandir plus vite. Il aime me narguer en copiant sur son ordinateur des jeux où « tant qu'à être un salaud, autant être le pire ». Je le mets en garde devant des fantasmes d'adulte qui lui proposent des Dark Mistress à fouetter. Il hausse une épaule ou rougit un peu. Revient à la charge avec Carmageddon qui se fait un jeu « d'écraser les petites vieilles ». Me regarde. Écoute ma protestation. Rigole… Il serait déçu si je ne désapprouvais pas.

Les marchands de violence nous fournissent donc malgré eux quelque chose de gratuit : un sujet de conversation.

Tricher n'est pas jouer

15 janvier 1999

Maxime a déboulé dans la cour de récré :

— Alerte ! Y a interro en histoire !

— Qui te l'a dit ? a demandé Juliette.

J'ai ricané :

— C'est sa chérie de cinquième B.

— Toi, ta gueule, a fait Max, ou je dis pas les questions.

— Si, si, dis-les, a supplié Juliette.

Juliette est première partout. Dès qu'elle descend à 16 dans une matière, sa mère appelle Études Secours. C'est un genre de Samu pour les élèves qui se plantent. Maxime nous a lu les questions, juste avant l'arrivée de la prof. C'était sur les Arabes. Pour les « cinq piliers de l'islam », je n'en trouvais plus que quatre et pour le nom d'un calife célèbre, je ne connaissais qu'Iznogoud et encore, c'est un vizir. Juliette a prétendu qu'elle n'avait pas les réponses.

— Quelle tache, c'te pouf, m'a dit Max, furieux. C'est la dernière fois que je la préviens pour une interro.

21 janvier

Bien sûr, Juliette a eu 20 en histoire et moi 12. Maxime a eu 11 parce qu'il a copié sur moi. Il m'a dit :

— T'es pas rentable. La prochaine fois, je pompe sur Juliette.

Les notes, c'est bidon. En exposé, je ne dépasse jamais les 12. Mais pourquoi ? Parce que je n'ai ni Internet ni imprimante couleur. Juliette, elle clique sur « religion musulmane ». Elle imprime, elle coupe, elle colle. Elle n'a même pas besoin de lire. Sauf *Meurtre au château*. Là, elle est obligée de lire pour rendre la fiche de lecture à la prof de français.

– Qui c'est qui tue le page ? m'a demandé Maxime.

– C'est pas le page qui est tué. Le page a seulement vu le cadavre de l'archer du roi...

– Qu'était pas mort, m'a interrompu Juliette. Il faisait semblant d'être mort et après, il poignarde le page...

– Ah, bah, j'ai raison ! a hurlé Max. Le page est mort.

– Non, a rectifié Juliette. Le page fait aussi semblant d'être tué.

– P'tain, j'y comprends rien.

Juliette n'avait rien compris non plus. C'est sa mère qui lui a fait sa fiche. Juliette a eu 18. J'ai eu 7. Moi, je trouve qu'on devrait donner les félicitations à la mère de Juliette et faire redoubler la mienne. Ça serait plus clair.

Journal de Serge T. (12 ans)

TRICHER, COPIER, POMPER OU GRUGER ?

N'avez-vous jamais jeté un petit coup d'œil sur la dictée du voisin, juste pour vérifier qu'il mettait bien, lui aussi, deux « f » à « effarouché »? Ah, tiens, il n'y a qu'un « r »… Et si les cinquièmes B ont eu avant vous interro d'histoire avec votre professeur, n'avez-vous pas cherché à connaître quelles étaient les questions? N'avez-vous jamais ouvert votre manuel sous la table pour vous secourir en SVT? Personne n'est parfait et je vais d'ailleurs passer aux aveux.

Au lycée Sophie-Germain où j'étais élève, nous avions en cours de musique des « dictées de notes ». Le professeur, nous tournant le dos, jouait quelques notes au piano. Nous devions les identifier et les inscrire sur une portée. Or je n'avais jamais appris le solfège et aucun professeur de musique au lycée ne me l'avait enseigné. L'exercice

était donc particulièrement injuste puisque seules les élèves qui apprenaient à jouer d'un instrument pouvaient s'en tirer. Or la note obtenue en musique comptait pour la moyenne générale. Un zéro aurait donc été fort dommageable. Ma voisine de table apprenait le piano. Vous avez compris la

> ▶ **93 % des lycéens avouent tricher souvent ou parfois.**
> 99 % des lycéens refusent de dénoncer le tricheur.
> 25 % des lycéens trouvent la tricherie injuste.
> (Enquête *Phosphore*, 1990)

suite? Je « pompais » tant que je pouvais. Sans en tirer de gloire, sans me révolter contre l'injustice, mais avec le sentiment d'être confrontée à quelque chose d'absurde. Comment saurait-on ce qu'on ne vous a jamais appris? On exigeait de moi une chose impossible. Je crois que c'est bien souvent ce que ressent le tricheur.

AU FAIT, POURQUOI TRICHE-T-ON ?

Pour s'éviter une mauvaise note et, éventuellement, une « engueulade » des parents. Ça, c'est la principale motivation du tricheur occasionnel, celui qui vous ressemble comme un frère. Le professeur fait une interrogation surprise juste le jour où vous n'avez pas appris votre leçon d'histoire. Vous êtes plutôt bon élève. Cela vous ennuierait de faire baisser votre moyenne. Allez, un coup d'œil sur la copie du voisin, cela ne mange pas de pain! Ou bien c'est le jour du super-contrôle de maths. Vous stressez facilement dans les grandes occasions, ce qui vous amène à accumuler les étourderies. Quelques petits sondages dans la copie de votre voisine vous permettent de constater que vous arrivez bien aux mêmes résultats qu'elle.

Mais il est un tricheur beaucoup plus systématique. Il ne veut pas seulement éviter une mauvaise note. Il cherche à faire illusion et à passer pour ce qu'il n'est pas : un bon élève. Ce tricheur n'a généralement pas confiance en lui. Il trouve même injuste qu'on exige de lui quelque chose qui n'est pas du tout dans ses compétences*. Il est « nul » en maths ou en anglais. D'ailleurs, Papy l'était aussi. C'est génétique.

Ce tricheur a parfois des parents très autoritaires ou angoissés. Pour éviter des drames avec Papa ou pour ne pas faire de peine à Maman, il va tricher avec beaucoup de régularité. À chacun ses mérites. S'il ne se fait pas « pincer », notre grugeur va en tirer une manière de satisfaction ! Il trompe l'enseignant ; il dupe l'adulte. C'est une preuve de sa supériorité. Il finira par mépriser ces intellos qui se

* Une *compétence* est une connaissance ou une expérience qu'une personne a acquise dans tel ou tel domaine. On peut être compétent en maths ou en cuisine.

prennent la tête pour apprendre. Pour peu qu'il soit vantard, il aura du prestige auprès des copains. Et il ne risque pas d'être dénoncé. Le « rapporteur » est beaucoup plus mal vu de la collectivité que le tricheur. D'ailleurs, je sens qu'il a déjà toute votre sympathie. Le tricheur, c'est Arsène Lupin, c'est celui qui se moque des autorités.

Tricher, pour certains, ne pose pas de cas de conscience. Ils estiment que c'est de bonne guerre à l'école. Pour eux, l'école est un passage obligé pour avoir un bon métier, une vie normale et tout ce que la société de consommation

> ▶ **En Chine aussi !**
> « En début d'année, ma fille était brimée par sa maîtresse, raconte Du Meihua, une mère de famille pékinoise. Les choses se sont améliorées depuis que j'ai offert un stylo en or à la maîtresse. Maintenant, ma fille est chef de classe. » Les bonnes notes de sa fille lui ont coûté 700 yuans (600 francs), l'équivalent d'un mois de salaire à Pékin. Mais la maman ne regrette pas...
> (Source : *La Croix*, 24 mars 1999)

peut offrir. Il faut passer d'une classe à une autre et obtenir les diplômes. On ne cherche pas, dans ces conditions, à savoir si c'est bien ou mal de tricher. On pèse juste le pour et le contre. Ce qui importe, c'est de savoir si on peut être « pris » et ce qu'on risque dans ce cas. Et s'il est plus rentable de préparer une antisèche ou d'apprendre sa leçon…

PRESQUE AUSSI FATIGANT QUE DE TRAVAILLER !

Le tricheur qui recopie presque mot à mot la copie du premier de classe n'est qu'un naïf amateur. Le tricheur expérimenté change les mots, modifie l'ordre des phrases, ajoute quelques petites fautes. Ce n'est pas lui qu'on prendra en flagrant délit*, avec son cahier de cours sur les genoux. Car il a trouvé le meilleur endroit pour exercer son art en toute sécurité. Le premier rang, c'est amusant, mais à haut risque. Le dernier rang, c'est trop connu et l'enseignant peut prendre le tricheur à rebours, en se mettant dans le fond de la classe pendant le contrôle. Mieux vaut le ventre mou du milieu. Le tricheur doit bien connaître son enseignant et lui adapter son comportement. Si le prof est sourd, on peut à mi-voix poser quelques questions à son voisin

* Un *flagrant délit* est un délit (vol, tricherie) qui est commis sous les yeux d'un témoin. Difficile de nier !

de classe. Si le prof est myope, rien de tel que les antisèches miniaturisées.

Le tricheur prépare soigneusement son matériel à la maison. Il recopie la leçon et en fait une photocopie réduite, il bourre sa calculatrice d'informations ou, d'une façon plus artisanale, il écrit des dates d'histoire et des formules de maths à l'intérieur de sa trousse. Dans la tricherie de haut de gamme, au concours de recrutement de hauts fonctionnaires européens, certains candidats sont allés aux toilettes téléphoner avec leur portable pour obtenir des renseignements sur leur sujet d'examen.

On se demande parfois si le tricheur n'aurait pas plus vite fait d'apprendre. S'il se donne tant de mal, c'est parce qu'il ne compte pas sur ses propres ressources et peut-être aussi parce qu'il a pris le goût du risque. Ne recherche-t-il pas le frisson qui lui parcourt le dos, juste au moment de tricher?

Vous connaissez ces jugements, pas très justes en vérité, qui consistent à couper la note en deux? Le professeur n'a pas pu savoir qui est le copieur, qui est le copié. Ils auront donc 8 tous les deux. Si c'est sur vous qu'on a copié, vous n'avez sûrement pas apprécié que le tricheur, au lieu de se dénoncer, joue les étonnés.

S'il est pris sur le fait, le tricheur risque le franc zéro. Et l'humiliation publique. Non pas parce qu'il a triché, ce qui est une faute morale. Mais parce qu'il s'est fait prendre, ce qui signe sa bêtise.

J'ai connu un garçon qui s'était fait remplacer par un camarade à l'épreuve de maths du baccalauréat.

Que risquait-il ? Jusqu'à trois ans de prison, 60 000 francs d'amende et cinq ans d'interdiction d'examen. En 1992, en région parisienne, on a pris sur le fait 26 fraudeurs, dont dix qui s'étaient fait remplacer pour une épreuve. Ils n'ont probablement écopé que d'une interdiction provisoire de repasser l'examen.

Le tricheur peut rester impuni. Les terminales ont tous une bonne histoire à raconter de gruge réussie au baccalauréat. À la session de juin 1999, à Bordeaux, un élève a été surpris en train de lire des passages entiers de son cours d'économie sur sa calculatrice. Or les instructions officielles disent que « les candidats peuvent utiliser une calculatrice

d'une taille maximale de 15 centimètres sur 21 ». La calculatrice du jeune homme entrait dans la norme. Il a donc triché en toute légalité! Les étudiants qui font une thèse connaissent tous un type qui a recopié des thèses un peu anciennes et oubliées pour gonfler la sienne. Aux États-Unis, il existe un serveur sur Internet au nom évocateur de Evil House of Cheat (« la Maison maléfique de la triche »!), qui vend des thèses toutes faites, à tous les prix. Chez nous, ce sont des sujets de baccalauréat qui ont été vendus, entraînant l'annulation des épreuves.

Au total, un quart des étudiants avouent tricher. Ils seraient même un peu plus nombreux en médecine. Or en médecine, la première année, très difficile, fonctionne comme un concours. Les places sont limitées et, au second échec, les candidats sont définitivement éliminés. Si quelqu'un, en trichant, vous passe devant, il peut détruire votre avenir. À cause de lui, vous ne serez pas médecin. Sympathique, le tricheur? Ou tout simplement égoïste et arriviste?

TOUT LE MONDE TRICHE !

C'est l'idée que les tricheurs aiment répandre. Si tout le monde le fait, plus personne n'est coupable.

Les sportifs se dopent. Tricheurs! Papa truque sa déclaration d'impôts. Tricheur! Les hommes politiques font voter les morts pour eux. Tricheurs! Maman fait sauter sa contravention. Tricheuse! Les écrivains pompent les livres des autres.

Hou, les copieurs! Les scientifiques se volent leurs travaux, les réalisateurs de télé se piquent leurs idées. Quelle foire aux tricheurs! À quoi bon être honnête, à quoi bon travailler? On se fait mettre en arrêt maladie sans être malade. On touche le RMI tout en travaillant au noir. Dans certaines auto-écoles, on peut acheter son permis de conduire pour 5 000 francs. Si tout le monde triche, celui qui ne le fait pas est un imbécile, non?

C'est un tableau exagéré. Mais qui peut prétendre n'avoir jamais garé sa voiture sur un parking pour handicapé, ne s'être jamais faufilé devant d'autres dans une file d'attente, n'avoir jamais triché sur son âge (pour aller voir un film interdit aux moins de 12 ans!)? Petits ou grands, nous devons tous plaider coupables. Mais pas coupables de la même faute.

Certains trichent parce qu'ils se sentent trop faibles dans un monde de rude concurrence. À un moment ou à un autre de leurs études, ils ont décroché du peloton. Ils trichent comme on se raccroche aux branches. Ce sont des perdants. D'autres trichent parce que cette société, avec ses lois, ses règles, leur pèse. Leur grande phrase? « J'ai pas envie! » Ils ne supportent pas que les révisions pour le contrôle de demain les empêchent de faire tout de suite une partie de jeu vidéo avec un copain. Ce sont des contestataires*. D'autres enfin trichent et trichent gros parce qu'ils ne croient qu'à la réussite. Leur réussite. À l'école comme plus tard, dans leur carrière, ils font semblant de respecter les règles du jeu. Ils iront même jusqu'à faire la leçon aux autres, les gagne-petit de la tricherie! Ce sont des hypocrites. Ils s'imaginent que derrière leur mur d'argent ou leur célébrité ils sont à l'abri de tout soupçon et hors d'atteinte de la justice. Les journaux apportent chaque jour la preuve qu'ils se trompent. Il y a eu des sportifs chassés du Tour de France et du Tour d'Italie, des hommes politiques mis en prison, des PDG ruinés, des plagiaires* dénoncés dans la presse.

Rien de plus minable que ce tricheur pris en faute. Écoutez-le mentir et dénoncer les autres. Le sportif

---

* Un *contestataire* est une personne qui n'est pas d'accord avec l'ordre établi, avec les idées et les valeurs de la société dans laquelle il vit.

* Un *plagiaire* est une personne qui vole les idées d'autrui ou qui copie ses œuvres. On dit qu'elle fait un plagiat.

a été trompé par son entraîneur. Il pensait prendre des médicaments, pas des produits dopants. Non, l'écrivain n'a pas volé dix pages dans un autre livre. C'est son secrétaire qui a oublié de mettre les guillemets. Ne croirait-on pas un gamin de 12 ans que son prof d'histoire vient de surprendre en train de gruger ? Le tricheur a rarement l'élégance d'accepter sa défaite. Au mieux, il pleurniche en disant que ce n'est pas de sa faute. Au pis, il essaie de vous faire avaler que : « Dans le foot, les affaires, le rap, les ministères, c'est toujours le gangster qui contrôle l'affaire. » Le tricheur, quand il s'appelle Bernard Tapie, veut qu'on mette tout le monde dans le même sac. Mais c'est un mensonge de plus qui ferait oublier que, dans la triche, il y a les trompeurs et il y a les trompés.

C'est facile de dire que c'est mal de tricher si le tricheur c'est toujours l'autre. Moi qui aide mes enfants à faire leur travail, qui fais réciter les leçons, corrige les devoirs, donne des conseils pour l'exposé, est-ce que je ne bascule pas de temps en temps du côté de la gruge? Quand je colorie la carte de géographie parce que mes enfants sont nuls en dessin, quand je dicte la fiche de lecture parce que mon gamin n'a rien compris au livre, est-ce que je ne vais pas un peu trop loin? Par peur de l'école, par soumission au système, parce qu'un bon bulletin scolaire me rassure, ne m'arrive-t-il pas de tricher avec ce même système? Je perds de vue que réussir, ce n'est pas avoir 18 sur 20, c'est avoir appris quelque chose, c'est avoir compris quelque chose. Mais est-ce que l'école ne l'oublie pas, elle aussi? Mon fils aîné, en faisant sa troisième année de Sciences-Po, m'a dit :

– C'est la première fois que je sens qu'on veut

m'apprendre quelque chose d'utile, et pas seulement me sélectionner.

Constance, elle, est en première année de maternelle. Elle m'a rapporté dernièrement un bulletin d'évaluation* où sa mémorisation des chansons

▶ « Vous pouvez tromper tout le monde quelquefois, vous pouvez tromper quelques-uns tout le temps, mais vous ne pouvez pas tromper tout le monde tout le temps » (Abraham Lincoln).

---

* L'*évaluation* à l'école se fait le plus souvent par une note sur 10 ou sur 20. Cette méthode permet d'évaluer un devoir, pas une personne. On devrait vous le rappeler régulièrement...

était indiquée « en cours d'acquisition » et le comptage jusqu'à 10 « acquis ». Je sais que tout cela est fait avec les meilleures intentions du monde. Mais je me suis surprise à parcourir ce bulletin avec la crainte d'y découvrir quelque « non acquis » en coloriage de sapin ou en tracé de lignes verticales qui ruinerait l'avenir de ma fille.

Je suis comme vos parents. Je veux que mes enfants réussissent dans la vie. Vouloir réussir dans la vie peut mener à la tricherie. Car seuls comptent les résultats. Vouloir réussir sa vie, c'est tout différent. Car c'est vouloir devenir soi-même, en jouant avec ses propres cartes, en se servant de ses propres atouts. Réussir sa vie, c'est l'exact envers de la tricherie.

La vulgarité,
ça craint !

20 février 1999

Heureusement que les vacances arrivent! Je ne sais pas ce qu'ils ont tous au bahut en ce moment, les profs et les élèves, mais ça craint. Quand elle a vu sa note de céfran sur sa copie, Nathalie s'est écriée devant la prof :

– C'te salope!

Elle risque le conseil de discipline, à ce qu'il paraît. La prof a dit que Nathalie avait passé la mesure. Puis elle nous a expliqué un truc sur les registres ou les niveaux, je ne sais plus trop. Mais on a bien rigolé parce qu'elle nous a demandé les synonymes de « bordel ».

– Foutoir, a dit Maxime.

J'ai proposé « merdier ». La prof nous répétait :

– Oui, mais dans un registre moins vulgaire, plus soutenu. Quand on vous demande de ranger votre bordel, ça veut dire...

– Qu'on fait chier? a suggéré Nathalie.

Alors, Juliette s'est dévouée et elle a donné la bonne réponse, comme d'habitude :

– Ça veut dire : de ranger notre désordre.

Sur le tableau, la prof a écrit à toute vitesse : bordel, désordre, capharnaüm, bazar, fourbi, pagaille, fatras, fouillis, chantier. Et tout énervée, elle s'est retournée vers nous et elle a crié :

– Mais enfin quoi, c'est votre langue, le français, oui ou merde ?

Enfin un cours où on rigole !
Je suis rentré à la maison et, dans l'entrée, j'ai failli m'étaler sur tout un tas de paquets et de bagages. J'ai poussé la porte du salon à toute volée en gueulant :
– Mais c'est quoi, tout ce bordel ?
Et là, je suis resté cloué.
– Bonjour, mon chéri, a fait Mamie, l'air un peu chagriné.
Elle vient passer les vacances de février à la maison. Je vais devoir resserrer les boulons. C'est quoi déjà les synonymes de « bordel » ?

Journal de Serge T. (12 ans)

PUTAIN, MERDE, BORDEL !

À une dame que les gros mots de son petit garçon effrayaient, une psychologue avait recommandé d'en dresser la liste avec lui et de les dire bien tranquillement. Nous allons essayer de garder le même détachement. Vous allez donc lire dans ces quelques pages de « pleines charretées de mots crus tout à fait incongrus », comme le chante Georges Brassens. Je suppose que je ne vous les apprendrai pas. Mais le sens de ces gros mots vous échappe peut-être, tout comme les raisons de leur emploi. Commençons !

CACA BOUDIN, ROI DE LA MATERNELLE

À quel âge avez-vous dit votre premier gros mot ? Demandez à vos parents. Ils s'en souviennent parfois, surtout si c'était aux noces d'or de Papy et Mamie. *La Ronde des jurons* que chante Georges Brassens commence dès la maternelle. À 3 ou 4 ans, le répertoire grossier tourne autour de pipi-caca, caca-fesse, cul-merde, prout-prout. Tout un folklore de devinettes et de comptines prend appui sur cet intérêt pas-

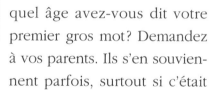

▶ On a recensé 9 300 injures. Les trois mots les plus utilisés de la langue française seraient : foutre, merde et con.

sionné des plus petits pour les fonctions de défécation. J'ai une certaine tendresse pour le « Rapporteur à quatre moteurs, quand il pète, il fait du beurre ». Quant aux histoires de Toto, je parie que vous en savez encore quelques bonnes.

Pourquoi les petits de la maternelle disent-ils des gros mots? Bien sûr, pour faire rire et pour épater les copains. Mais quand ils les disent devant des adultes? Ils savent très bien ce qu'ils font quand ils lâchent un « tu pues du cul » en société. En tout cas, ils savent que ça ne se fait pas et qu'ils risquent d'être grondés. Pourquoi le font-ils quand même? Pour savourer leur petit pouvoir, pour tester les réactions des adultes et tout bonnement pour jouer avec quelque chose qui est interdit. C'est ce qu'on appelle la « transgression ». Transgresser, c'est passer outre à un interdit et narguer ceux qui interdisent. La transgression tente l'humanité à tous les âges de la vie.

Je me souviens d'avoir aperçu un jour un groupe de gamins de 8 à 10 ans assis sur un banc ou sur le dossier de ce banc, dans un jardin public. Tout à coup, une voix claire a attiré mon attention :

– C'est quoi, en fait, un pédé?

J'ai regardé le jeune garçon qui posait la question. Mais c'était de ses copains qu'il attendait la réponse. J'ai vu toutes les têtes qui se rapprochaient pour permettre un échange d'informations à mi-voix. Puis chacun a repris sa pose initiale et la voix claire a de nouveau demandé :

– Ça veut dire quoi, en fait?

Les explications avaient dû être quelque peu embrouillées. « Pédé » est pourtant une des insultes préférées de la cour de récré.

C'est vers 8-9 ans qu'on commence à utiliser des expressions de type sexuel comme injures : pédé,

enculé, connard, pute, putain et pétasse. Remarquez comme ces mots, indépendamment de leur sens, ont une sonorité à la fois agressive, avec les « p », les « d », les « t » et les « c » qui sont des consonnes dures, et vulgaire, avec les « ard » et les « asse » qui se vautrent dans la gorge. Or ces mots désignent deux choses : les sexes masculin et féminin et l'activité sexuelle. En parler à voix haute, en faire des insultes, c'est de nouveau une transgression. « Faire l'amour n'est pas un crime, en parler en est un », notait déjà Montaigne. Cette transgression est particulièrement appréciée à votre âge. Pourquoi?

POUR MONTRER QU'ON EN A

Ce sont davantage les adolescents que les adolescentes, davantage les hommes que les femmes qui font usage de gros mots. Ces gros mots ont un même but : s'affirmer, et surtout s'affirmer en tant qu'homme face à la femme et face aux autres hommes. Ce besoin est très net à la puberté, presque ressenti comme une contrainte. T'es un homme ou quoi? Alors, vas-y, bois, fume, cogne et dis des gros mots! Dans la liste que je viens d'énumérer, c'est finalement « dire des gros mots » qui paraît le moins risqué... et qui est donc le plus largement pratiqué.

L'inconvénient, c'est qu'avec les gros mots on s'affirme en dévalorisant l'autre. On dévalorise la femme en en faisant une prostituée : « roulure, traî-

née », ou un être dépourvu de séduction :
« vieille peau, boudin ». Quand on veut dévalori-
ser un homme, on met en doute sa virilité :
« couille molle, tapette », et on en fait même une
femme. Raclure et ordure sont du genre féminin
et servent à injurier des hommes. On voit donc
que les gros mots fournissent aux hommes le
moyen d'affirmer leur virilité, notamment au
moment où ils en prennent possession. Il se
trouve que, féminisme aidant, les filles fument,
boivent et... disent des gros mots.

MERDE, ALORS ! **J**eunes, vieux, hommes, femmes,
bourges ou prolos, tout le monde
dit des gros mots. Le gros mot
s'est banalisé parce que le lan-
gage de tous les jours s'est, lui aussi, relâché.
Quand votre petite sœur raconte à table : « Y a
ma copine, elle s'est cassée la gueule à la récré »,
qui va lui faire observer : « Il faut dire : mon
amie est tombée dans la cour de récréation »?
Lassitude ou habitude, on laisse dire, sauf dans
quelques milieux plus stricts, sauf dans quelques
circonstances. Nombre de gros mots qui auraient
horrifié nos grands-mères sont devenus de
simples exclamations. « Wah, putain! » n'a aucun
sens injurieux ni obscène*. On ne s'en sert ni

* Une parole ou un geste *obscène* évoque la sexualité et choque la
pudeur. On dit des *obscénités*.

pour agresser ni pour transgresser. Alors, pourquoi disons-nous « putain » ou « merde »? Pour exprimer quelque chose de fort dont on a besoin de se soulager. Avec « merde », selon le ton qu'on va choisir, on peut exprimer l'irritation (mais merde!), l'indignation (merde, alors!), l'impatience (merde, merde!), la douleur physique brusque du type choc ou pinçon (putain de merde! offrant une variante bien soulageante). Je vous laisse compléter la liste.

EST-CE MAL DE DIRE DES GROS MOTS ?

On le dit encore aux petits enfants : « C'est très vilain, ce mot. » Autrefois, on les punissait en leur lavant la bouche avec du savon. Mais maintenant, Papa traite de « connard » le type qui le double de trop près, Tatie s'exclame « bordel de merde » quand son ordinateur se plante et, sur les murs de Paris, on a pu voir en même temps à l'affiche *Une journée de merde* et *Un putain de conte de fées.* Le moins qu'on puisse dire, c'est que les adultes ne donnent plus le bon exemple. L'interdit qui frappait les gros mots est en train de fondre dans l'air du temps. S'il n'y a plus d'interdit, il n'y a plus de transgression et s'il n'y a plus de transgression, une grande partie du plaisir qu'il y a à dire des gros mots disparaît. Il y a encore deux endroits où le gros mot a difficilement droit de cité : l'écrit et l'école. D'où le plaisir que je ressens à aligner toutes ces grossièretés et le plaisir que vous éprouvez à les lire ! Ce plaisir me paraît aussi simple que celui de mordre à pleines dents dans un gros gâteau crémeux qui poisse les doigts et salit la nappe.

TRAITE PAS MA MÈRE !

Les adolescents ne se contentent pas du gros mot à l'état brut. Ils s'envoient des « ta mère » à la figure. « Ta mère » est une abréviation de l'expression « nique ta mère ». C'est encore une fois une transgression, car toute société humaine est fondée sur l'interdit de l'inceste et, principalement, sur l'interdiction de toute relation sexuelle entre mère et fils. Gueuler : « ta mère ! » à un camarade peut être beaucoup plus mal pris que de lui lancer une vanne du style : « Ta mère, c'est comme un Caddie. On met 10 francs et c'est parti ! »

Les vannes sont des moqueries échangées entre des gens qui se connaissent. La vanne n'appartient

pas aux seuls ados. Tous les milieux professionnels, tous les cercles d'amis ont l'habitude de se charrier. C'est même un signe de reconnaissance, une complicité. Mais les vannes ados ont cette particularité d'utiliser des mots obscènes et de « tailler les mères ». Les « ta mère » avec les variantes : « Ta mère, c'est… », « ta mère, elle est tellement… », « ta mère, elle fait… » nous viennent des ghettos noirs américains. Ces vannes s'appellent là-bas des *dozens*. Ce sont des chapelets de grossièretés qui se débitent rapidement et dont le rap se fait l'écho. En principe, les vannes ou les « charres » cherchent à provoquer l'admiration du public, à faire rire et non à agresser. L'injure est telle-

▶ « Niquer » n'est pas vraiment un mot jeune. Il a pour ancêtre le verbe égyptien *nêk*, qui voulait dire « faire l'amour ». Après avoir passé quelques siècles dans les pays arabes, il est venu récemment s'installer en banlieue.

ment invraisemblable que cela ne vaut pas la peine de s'en défendre : « Ta mère est tellement pauvre que chez toi, quand on écrase un mégot, ta mère gueule : qui c'est qu'a éteint le chauffage? » Celui qu'on moque doit riposter en retournant les charres à l'envoyeur. Si l'on est kéblo (= bloqué) parce que l'adversaire sait vanner mortel, il reste la possibilité de menacer : « Tu m'cherches? » Car il y a toujours un risque à ces blagues. On peut tomber sur quelqu'un de susceptible ou on peut, par une plaisanterie trop lourde, passer de la vanne à l'insulte.

« J'RIGOLE, EH, J'RIGOLE... » **C'**est la formule magique qui permet de faire machine arrière quand vous vous apercevez que le costaud de la classe a mal pris votre dernière plaisanterie. Charrier est une chose. Insulter en est une autre. « Insulter » vient du latin *insultare*, qui signifie « sauter sur ». Insulter l'autre, c'est

l'attaquer et, du reste, des mots on en vient parfois aux mains. Entre la moquerie sans conséquence et l'insulte qui fait bondir, la nuance est assez mince. Il est habituel entre ados de « rigoler » de certaines particularités physiques des copains. À la manière des caricaturistes, on choisit un trait de celui qu'on « taille » et on le grossit à l'excès. Ces vannes peuvent être à l'origine d'un surnom. Un grand nez et on devient « Pif Gadget ». Des boutons plein le front et on est baptisé « Calculette ». Mon fils aîné était appelé « la Mouche » en raison de ses yeux noirs et luisants ou « le Dalmatien » pour ses taches de rousseur. Entre potes, même si on ne se fait pas de cadeaux, il est rare qu'on se moque d'un vrai handicap. Ou alors, on franchit la ligne qui sépare la charre de l'insulte. Françoise Dolto, la psychanalyste, racontait le cas de ce jeune homme de 13 ans, très doué et très sensible, qui était en retard dans sa puberté. Les autres moquaient sa voix non muée et son apparence fragile en l'appelant

« Mademoiselle ». Ça, comme on dit en banlieue, « ça casse le moral ».

Il faut faire attention, car ce sont souvent les mêmes qui sont moqués dans un groupe. À l'école maternelle ou primaire, ce sont les enfants différents, peut-être handicapés ou mal habillés, que les autres ridiculisent. Les petits ont peur de ce qui ne leur ressemble pas et ils le rejettent, souvent cruellement. À l'adolescence, la tête de Turc sera plutôt un jeune qui a des capacités que les autres jalousent, mais aussi des points faibles très visibles. Voyez le cas de l'intello. L'intello, c'est le schtroumpf à lunettes, l'allié du prof, un genre de collabo qu'il ne fait pas bon fréquenter. Il y a une sorte de racisme anti-intello. Réussir en classe, c'est une supériorité qui se paie cher à la récré…

> ▶ « L'homme qui le premier jeta une injure à son ennemi au lieu d'une lance fut le fondateur de la civilisation » (Sigmund Freud).
>
> ▶ « Cherchez le ridicule en tout, vous le trouverez » (Jules Renard).
>
> ▶ « Humour, c'est amour. Ironie, c'est mépris » (Dominique Noguez).

Une autre manière de se moquer qui peut devenir méchante, c'est la trituration des prénoms et des noms. À l'école primaire, on se fera appeler « Valérie pisse au lit » ; au collège, Jean-Luc deviendra « Jean-cul ». On a le droit de ne pas apprécier, mais on a tout intérêt à le dissimuler. Car les moqueries peuvent, si vous vous montrez vulnérable, tourner à la persécution. Quant aux noms de famille, certains ont le malheur de porter des noms aisés à ridiculiser et vivent de vrais calvaires tout au long de leur scolarité. « Traiter les noms des pères » est moins bien supporté que « traiter les mères ». C'est que, là, l'honneur du nom est en jeu. Même tout petits, les enfants prennent très mal qu'on leur chante sur l'air des lampions : « Alercon, il a l'air con. »

MÊME PAS DRÔLE !

Rire des autres, pourquoi pas ? Mais à condition de savoir aussi rire de soi. Certains blagueurs sont appréciés et d'autres sont redoutés. Pour savoir quelles limites se donner, pourquoi ne pas écouter les conseils des humoristes de métier ? « Ne jamais toucher au physique

des personnes moquées », dit le rédacteur en chef du *Canard enchaîné*. « Faire rire aux dépens des handicapés est inconcevable, ajoute Marc Jolivet. Être humoriste, c'est s'attaquer aux puissants. » Sylvie Joly vous l'assure : « L'humour, c'est une mission. Faire du bien aux gens. »

Dans la bonne vanne, dans la blague réussie, il y a quelque chose qui touche juste mais sans blesser. On ne se vanne bien qu'entre copains parce qu'il y faut de l'amitié. Les blagues et les surnoms marrants soudent un groupe, alors que l'insulte exclut du groupe. L'insulte sert précisément à repousser l'autre en lui en faisant porter la responsabilité. Ce n'est pas de ma faute si l'autre est un « sale Nègre » ou un « bougnoule », un « facho » ou un « intello ». Mais curieusement, même les insultes ont perdu récemment une partie de leur sens et donc de leur violence.

« TIENS, V'LÀ L'AUTRE PÉDÉ ! »

Cela peut tout simplement signifier en langage bahut : « Bonjour, Jean-Marc, comment vas-tu? » Le vocabulaire injurieux a subi une forte dévaluation. Se traiter de « Nègre » ou de « chinetoque » entre copains ne va pas faire sortir les couteaux. Les adultes, notamment les enseignants, ont quelque mal à s'y faire. Ils souffrent de l'agressivité des adolescents entre eux et de l'incivilité* des adolescents envers eux. Dans mes fréquentes rencontres de jeunes en ZEP, j'ai parfois été effarée par la violence des échanges verbaux entre adolescents. « Ferme ta gueule ! », « Vas-y, casse-toi » se disent sans y penser. Ceux qui reçoivent ces gracieusetés les écartent d'un geste, d'un mot, comme on chasserait des mouches. J'ai fini par comprendre que j'accordais à ces agressions une importance qu'elles n'avaient pas. Car on dira : « Je vais te déchirer » sans bouger le petit doigt.

▶ En Europe et au Canada, les jeunes de 12 ans considèrent l'agression physique comme plus grave (55,5 %) que les injures (44 %).

En Asie, c'est l'inverse. Pour près de 70 % des enfants interrogés, les insultes sont plus graves que les coups. Même chose en Afrique (insultes : 63 % ; coups : 35 %).

En Amérique latine, on ne tranche pas : 50 % de part et d'autre.

(Enquête de l'Unesco 1998 auprès de 5 000 jeunes de 12 ans)

* *Incivilité*, c'est un mot un peu vieillot qui a été remis à l'honneur. Il a le même sens qu'impolitesse.

AMUSANT OU INQUIÉTANT ?

Deux profs de banlieue ont eu envie de faire un dictionnaire de la langue parlée en usage chez leurs élèves de sixième. Ils en ont tiré un lexique de quatre cents mots où dominaient la sexualité, l'agressivité et tout ce qui touchait à l'apparence physique. Mais les mots abstraits* étaient absents. Ce sont ces mots qui permettent d'exprimer les sentiments et les idées.

Le langage « jeune » est actuellement très à la mode. Ce langage est plutôt une sorte de patois qui s'invente essentiellement en banlieue. Il est fait de verlan, c'est-à-dire de mots à l'envers, et de verlan de verlan. Ainsi, femme a donné meuf qui a donné feum. À ce langage incessamment trituré, vous pouvez ajouter des mots d'anglais pour faire classe, du jargon informatique pour faire branché, des mots d'arabe pour être caillera (= racaille). Les journalistes adorent, les publicitaires récupèrent. Mais ceux qui créent et qui tchatchent avec talent ont 13 ans et vivent dans des HLM, aux Quatre Mille ou aux Minguettes. Quand ils parlent vite, ils deviennent incompréhensibles.

* Ce qu'on perçoit avec notre intelligence est *abstrait*. Ce qu'on perçoit avec nos sens est concret. « La beauté » est abstraite. « Une belle fille » est concrète.

Au siècle dernier, les voleurs parlaient de la même façon un jargon que ni les bourges (qu'ils appelaient les « dabs ») ni les keufs (que Gavroche appelait les « cognes ») ne pouvaient « entraver ». C'était l'argot des truands d'alors, un argot toujours changeant, toujours mouvant ou, comme le disait Victor Hugo, « perpétuellement en fuite comme les hommes qui le prononcent ». Mais les collégiens qui parlent l'argot d'aujourd'hui ne sont pas répertoriés au fichier du grand banditisme. Ils jouent avec la langue un peu pour échapper aux renpas (= parents), un peu pour contester la langue de l'école, et beaucoup pour frimer auprès des copains.

LES CÉFRANS ONT DU MAL À PARLER AUX FRANÇAIS

Vous avez peut-être noté qu'au paragraphe précédent j'ai plutôt dit « ils » que « vous ». Car même si vous attrapez au passage une expression qui vous plaît, un « t'es relou » ou un « il est ouf, ce keum », vous êtes capable d'utiliser un autre registre* si vous parlez au prof ou si Mamie est à la maison pour les vacances. Glisser un mot d'argot ou une expression en verlan fait partie des plaisirs de la conversation. Ce qui pose problème, c'est quand « bordel » n'a plus de synonyme, quand « foutre » remplace définitivement « faire », quand « skeud » ou « teuf » n'arrivent plus à se remettre à l'endroit. Car tout le monde ne parle pas « ça comme ».

Je me souviens d'un reportage à la télévision où un jeune banlieusard interrogé par un journaliste était sous-titré, comme s'il parlait une langue étrangère. Or le sens de son message, c'était : « Nous, on casse, quoi, c'est parce que personne il nous écoute. » Il aurait même pu dire : « Parce que personne il nous comprend. » À force de jouer à être incompréhensibles, certains jeunes le sont devenus. Ce lan-

---

* **On parle de *registre* ou de niveau de langue pour désigner une certaine façon de parler. Le registre peut être littéraire, soutenu, familier, populaire, vulgaire. Le dictionnaire vous indique le registre d'un certain nombre de mots sous cette forme : litt., fam., vulg., pop...**

gage finit par enfermer ceux qui le parlent dans un monde à part, dans un ghetto* dont ils ne sortent plus que pour aller casser.

LA VIE N'EST PAS NAZE OU GIGA

Quand on aime les mots, on les aime tous, les petits et les gros, les anciens et les nouveaux. J'aime dans la langue des banlieues ce que les jeunes y mettent de révolte et de dérision*. L'expression « dispatcher des baffes » que j'ai découverte récemment est une façon de moquer le lan-

---

* Un *ghetto* était autrefois le lieu où les Juifs étaient obligés d'habiter. On parle de ghetto chaque fois que des gens, volontairement ou involontairement, vivent repliés sur eux-mêmes.
* La *dérision* est une manière de se moquer qui est souvent méprisante.

gage technocratique qui nous tyrannise. C'est une trouvaille. Appeler une cigarette une « nuigrave » (à cause de l'avertissement sur le paquet : « nuit gravement à la santé »), c'est faire un pied de nez à ceux qui nous veulent du bien malgré nous. C'est crâne. Le langage « jeune » ne cesse d'inventer des expressions et d'en lancer la mode. Pour dire « c'est bien » ou « c'est mal », on a eu : « c'est giga, méga, cool, hypercool, mortel, michto, trop puissant, c'est de la bombe ou le kif total » et, à l'inverse, « c'est craindu, craignosse, nul, naze, pourri, pourrav, cave et vinche ». Mais qu'est-ce qui est bien, qu'est-ce qui est mal? Vous l'avez compris, ça se discute.

Or pour discuter, critiquer, argumenter, bref pour parler, il faut beaucoup de mots et dans des registres différents. Les gros mots, l'argot, le verlan ne sont qu'une toute petite partie du langage à

laquelle on accorde parfois trop d'importance. Le langage de banlieue permet de survivre entre potes, entre soi. Il ne permet pas de communiquer avec le monde extérieur. Pour vivre en société, pour parler d'homme à homme, il faut sortir de soi et jeter vers l'autre un pont de mots. Nombre d'entre vous n'arrivent pas à exprimer ce qu'ils ressentent ou ce qu'ils pensent, ont même du mal à raconter ce qu'ils ont fait la veille ou vu au cinéma. Comment voulez-vous dans ces conditions parler d'égal à égal avec les adultes, comment voulez-vous qu'on vous respecte ?

On déconseille aux jeunes parents de parler « bébé » à leur enfant. « A bobo le dada » ne peut pas vous mener très loin dans la vie. Le langage « jeune » peut également vous empêcher de grandir. D'ailleurs, dans leur majorité, les keumés de la téci

(= les ados de la cité), après avoir fait craquer la couture des mots, abandonnent cette façon de parler, comme on laisse aux petits frères un vêtement trop serré. Mais s'il y a bien un parler « bébé », un parler « jeune », il n'y a pas un parler « adulte » qui serait la bonne façon de parler. Il y a les mots, tous les mots. Certains sont un peu plus précis que les autres, plus abstraits ou plus littéraires, et vous fuyez devant eux comme s'il y avait le feu : « Wah, prise de tête, intello, on comprend pas… »

Vous avez dû noter qu'en bas de quelques pages je précise le sens de certains de ces mots. Je le fais dans l'espoir que vous allez vous les approprier et les utiliser. Dites, le français, c'est votre langue, oui ou merde?

T'as pas
une clope ?

4 mars 1999

À la sortie du collège, on a vu un petit qui fumait, mais vraiment un petit, quoi, un sixième !

– Vise un peu ce bouffon, a fait Maxime en le croisant. Tellement qu'il tire sur sa clope, il va prendre feu !

Nathalie a bien rigolé. Elle, il lui faut son paquet chaque jour. Elle a pris ses cigarettes dans son sac à dos, son briquet, tout. Je la regardais de côté, en marchant. C'est sûr, ça fait classe de fumer dans la rue. À 13 ans. Les gens la regardent et elle, elle rejette la tête en arrière pour envoyer la fumée en l'air, style je m'en fous.

J'ai quitté Max et Nathalie au coin de la rue de Turenne. Un peu plus loin, il y a une Maison de la Presse. J'ai eu envie de m'acheter des chewing-gums. Mamie m'a filé 50 balles aux vacances. Je ne sais pas ce qui m'a pris devant la caisse. J'avais déjà des chewing-gums et j'ai dit :

– Donnez-moi aussi des Marlboro.

La dame m'a regardé comme les gens regardent Nathalie dans la rue. Pas trop aimable, avec un sourcil en l'air comme un point d'interrogation. J'ai dit :

– C'est pour mon père.

Et j'ai posé mon billet sur le comptoir. Eh bien, ça a marché ! Je suis reparti avec mon paquet.

À la maison, j'ai allumé une cigarette et je me suis regardé dans la glace du couloir, celle qui me donne l'air plus grand. Mais la première bouffée, j'ai dû tirer trop fort. La cigarette a grésillé et moi, j'ai toussé. Après, je me suis méfié. J'envoyais la fumée en l'air en fermant à

moitié les yeux parce que ça pique quand même. En plus,
quand on ferme un peu les yeux, ça fait style cinéma.
– Ça te prend souvent ? a fait une voix derrière moi.
J'ai ouvert les yeux en grand et j'ai vu mon frère Jérôme
dans la glace. J'ai rigolé et j'ai dit :
– Ouais, de temps en temps, j'en grille une.
– T'as bien raison, a fait mon frère. Mais moi, je suis passé
à l'héro. C'est plus cool. J'ai les bras pleins de trous.
Il a remonté sa manche de sweat et je me suis approché
pour regarder. Il avait le bras tout lisse, en fait. J'ai haussé
les épaules et j'ai dit :
– T'es con.
– Toi-même, pauvre mytho !
Il est parti vers sa chambre et moi, j'ai gueulé :
– C'est pas parce que t'as fait les conneries avant moi que
t'es plus intelligent !

5 mars
Je vais m'arrêter de fumer. J'ai revendu mon paquet moitié
prix à Nathalie. Comme je lui ai dit :
– J'ai pas envie d'attraper le cancer. J'ai assez de problèmes
comme ça.
– Oh, moi, de toute façon, m'a répliqué Nathalie, j'arrêterai
dès que j'attendrai un bébé.
– C'est quand tu veux, chérie, lui a proposé Maxime.

Journal de Serge T. (12 ans)

FAITES-VOUS PARTIE DES 6,5 %

De 12-13 ans qui déclarent fumer? C'est un record, le record d'Europe du tabagisme chez les jeunes. À 14-15 ans, les scores s'améliorent : 28,5 %! Après 18 ans, plus de la moitié des jeunes fument. C'est donc un geste très banal, très répandu, que de craquer une allumette ou de sortir un briquet pour allumer sa cigarette. Mais il serait faux de dire que les jeunes fument de plus en plus ou de plus en plus tôt. Regardons de plus près les chiffres de l'Observatoire français des drogues et des toxicomanies*.

Dans la tranche d'âge des 12-18 ans, il y a vingt ans, 46 % d'entre eux déclaraient fumer. On est passé à 25 %. Quant à l'âge moyen où on fume sa première cigarette, il est aujourd'hui de 14,2 ans pour les garçons et de 14,5 pour les filles. Mais, en 1980, il était de 12 ans pour les garçons et de 13 pour les filles. Quant aux adultes, ils seraient aujourd'hui 34 % à fumer.

Mais au fait, pourquoi fument-ils?

▶ **Qui t'a proposé ta première cigarette ?**

Un copain, une copine	58 %
Personne, j'ai essayé tout seul	29 %
Un adulte autre que les parents	8 %
Ton frère, ta sœur	7 %
Un de tes parents	6 %

(Enquête des 10-12 ans auprès des 10-15 ans)

* Une *toxicomanie* est l'habitude d'absorber une substance (cocaïne, alcool...) qui a un effet nuisible sur l'organisme.

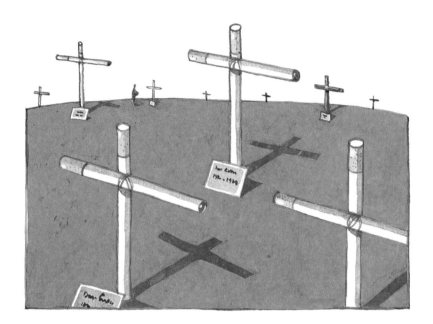

« JE FUME, TU FUMES, NOUS FÛMES »

On sait que les composants du tabac favorisent la formation de caillots de sang et augmentent les risques d'accident cardiaque. On sait que fumer, même des blondes, même des lights, peut provoquer le cancer du poumon, de la bouche ou de la vessie. Pourtant, des adultes sérieux, responsables, lucides, fument un paquet par jour. Et, parmi eux, beaucoup de médecins !

Des scientifiques ont donc cherché à savoir pourquoi, même informés sur les méfaits du tabac, tant de gens fumaient. La réponse ne vous étonnera pas : c'est parce que c'est agréable… Lorsqu'un fumeur en grille une, en moins de vingt secondes la nicotine contenue dans la cigarette atteint le cerveau et stimule ce qu'on appelle la « zone de récompense », celle qui déclenche des sensations agréables. Il y a mieux. La nicotine augmente la vigilance, elle favorise la concentration. Ce qui vous explique qu'on fume encore plus volontiers en travaillant.

Par ailleurs, la cigarette agit comme un tranquillisant et comme un antidépresseur. Voilà pourquoi tant de dépressifs et de stressés fument. Enfin, le tabac est un coupe-faim très efficace. C'est un argument... de poids auprès des jeunes femmes qui veulent s'arrêter de fumer et qui se mettent à grossir.

Il y a – et c'est inutile de le nier – des fumeurs heureux. Tant qu'aucune douleur anormale ne vient donner l'alerte, ces fumeurs fument. Mais voilà, chaque année, 60 000 personnes meurent d'avoir fumé. Vous le savez : « fumer provoque le cancer », « fumer nuit gravement à la santé ». C'est même enseigné dans le programme de cinquième. En SVT, mon fils Charles a appris en vrac que le tabac donne mauvaise haleine, fait tousser, ralentit les réflexes et rendrait impuissant ! Alors, pourquoi certains d'entre vous ont-ils, malgré tout, allumé leur première cigarette ? Le plus simple, ce serait de vous poser la question. Et même, de vous laisser poser la question.

LES 10-12 ANS MÈNENT L'ENQUÊTE

Des jeunes de 10-12 ans, à la demande de la Fédération française de cardiologie, sont donc allés poser des questions à leurs copains de 10 à 15 ans. Ils ont d'abord cherché à savoir pour quelles raisons un garçon, une fille fume. Deux réponses sont plébiscitées à 85 % : c'est « pour faire comme les grands » et « pour frimer ». Le fumeur est donc quelqu'un qui se la raconte, mais aussi quelqu'un qui, en prenant une pose de rebelle, rejoint plus vite le monde des adultes. Fumer, c'est s'émanciper*. Le fumeur « fait ce qu'il veut » (68 %), il est cool et branché. Beaucoup de jeunes disent s'être mis à fumer pour être admis dans un groupe, pour « être dans l'ambiance ». La cigarette crée une sorte de sociabilité entre fumeurs. On tend un paquet, on allume la cigarette

* S'émanciper, c'est se libérer d'une autorité. Celle des adultes quand on est jeune.

du voisin, on pose sur la table le cendrier commun. On fait les mêmes gestes. On peut croire qu'on a les mêmes goûts, les mêmes pensées, les mêmes sentiments…

Mais cette image chaleureuse et décontractée du fumeur se brouille bien vite. Car, selon l'enquête, le fumeur est aussi considéré comme quelqu'un de triste, qui « a des problèmes » (52%) et qui est stressé (43%). Les plus jeunes sont impressionnés par celui qui fume et qui a leur âge. Dans leur imaginaire, c'est presque un délinquant. Il répond aux profs, il pique de l'argent pour s'acheter ses cigarettes. Ce qui tente et ce qui effraie dans la cigarette, c'est la transgression. Vous vous souvenez que « transgresser » c'est

▶ **Si tu ne fumes pas, pourquoi ?**

C'est mauvais pour la santé .... 97 %

Je n'en ai pas envie .... 92 %

C'est difficile de s'arrêter .... 84 %

Ça sent mauvais .... 81 %

Ça ne ferait pas plaisir à mes parents .... 77 %

Je me sens trop jeune : .... 65 %

Ça rend les dents jaunes .... 64 %

Ça coûte cher .... 54 %

Ça fait mauvais genre .... 53 %

(Enquête des 10-12 ans auprès des 10-15 ans)

braver les interdits. La cigarette qu'on fume en cachette est celle qui a le meilleur goût. Le goût de l'interdit.

DES IMAGES CONTRADICTOIRES

Finalement, la cigarette, d'un côté, c'est : « mort, poison, drogue, cancer, pollution, mauvaise odeur, solitude et cherté » et, de l'autre côté, c'est : « calmant, ange gardien, plaisir, ambiance, relations plus faciles, personnalité et non-conformisme ». Qu'est-ce qui va l'emporter ?

Puisqu'on avait demandé aux jeunes : « Pour vous, à quoi ressemble un fumeur? », il restait à leur demander aussi : « Pour vous, le non-fumeur, c'est qui? » Les réponses sont très contradictoires. Bien

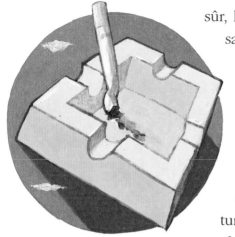

sûr, le non-fumeur « fait attention à sa santé » (93%), mais c'est parce qu'il écoute ses parents (71%). C'est un enfant sage qui pense surtout à l'école (41%) et qui fait beaucoup de sport (58%). Lui, c'est un fils à papa qui a son avenir tout tracé. Elle, elle est démodée, elle a peu d'amis et elle est immature*. On reconnaît pourtant que le non-fumeur est énergique, qu'il sait dire non et ne pas faire comme les autres (62%).

Alors, qui a le plus de personnalité, du fumeur ou du non-fumeur? Un élément ferait pencher la balance en faveur du non-fumeur. Celui qui fume semble devenir assez rapidement plus esclave de sa cigarette que maître de son plaisir.

« J'ARRÊTE QUAND JE VEUX »

Rien n'est moins sûr! Actuellement, plus de la moitié des jeunes fumeurs souhaitent s'arrêter de fumer. Pour quelles raisons? Pour préserver leur santé (81%), parce qu'ils se sentent dépendants* (62%), parce que la cigarette leur coûte cher (48%). Ils le souhaitent, mais ils sont déjà « accros ».

* On est *immature* quand on manque de maturité, c'est-à-dire d'une certaine expérience de la vie.

* Une personne qui ne peut pas se passer de prendre des substances toxiques (drogues, alcool, tabac...) est dite *dépendante*. Dans le langage familier, on dira qu'elle est « accro ».

Quand il fume, le jeune calme son stress et stimule son intellect. Après quelques heures, la nicotine se dissipe. Qu'arrive-t-il à notre fumeur réputé si cool? Il devient nerveux, irritable, il a du mal à se concentrer. Que fait-il? Il allume une autre cigarette.

Le film des Inconnus, *Le Pari*, dans lequel deux beaux-frères font le pari d'arrêter de fumer montre – en caricaturant – le supplice de deux accros de la cigarette brutalement privés de leur « drogue ». Ils deviennent insupportables en famille, odieux au travail. Finalement, ils perdent amour et boulot, mais gagnent des dizaines de kilos. Leur angoisse est phénoménale et ils essaient tout pour tenir le coup, l'acupuncture, la thalassothérapie, le déconditionnement dans une sorte de secte qui leur fait répéter des centaines de fois : « Le tabac, c'est tabou, on en viendra tous à bout! »

En réalité, renoncer à la cigarette n'est pas insurmontable. « Arrêter de fumer, c'est facile, je le fais

vingt fois par jour », plaisantait un fumeur. On peut arrêter une semaine, deux semaines. Ce qu'on appelle le « sevrage » pose moins de problèmes qu'avec les drogues. On s'applique sur le corps un timbre à la nicotine ou on mâche de la gomme à la nicotine, et la sensation de manque s'estompe. Ce qui est difficile, c'est de ne pas recommencer à fumer quelque temps plus tard. Il y a 80 % de rechutes ! Car ce qui pousse quelqu'un, un jeune notamment, à fumer est profondément ancré dans sa personnalité. Je pense à ce jeune homme entrevu dans une rue de Paris. Il portait des lunettes noires, il avait le Walkman vissé aux oreilles et une clope dans la bouche. Comme si tous les orifices devaient être bouchés. J'ai soudain pensé au nourrisson qu'on empêche de pleurer en lui collant sa tétine dans la bouche.

EST-CE MAL DE FUMER ?

Nulle part il n'est écrit : « La cigarette point n'allumeras. » Il n'y a pas de faute morale si l'on fume. Il y en a une si l'on enfume. Un bébé, un asthmatique vont souffrir de respirer la fumée des cigarettes. C'est ce qu'on appelle le tabagisme passif. Même sans être fragile ou malade, on peut être très indisposé par la pollution du tabac. Les fumeurs se comportent trop souvent d'une manière incivile, rendant irrespirable l'air des cafés et des restaurants. L'autre soir, à Paris, un couple de jeunes gens

Influence du tabagisme sur les infections
bronchiques et pulmonaires de l'enfant

PARENTS	INFECTIONS DES ENFANTS EN %
2 non-fumeurs	7,6
1 fumeur et 1 non-fumeur	10,4
2 fumeurs	15,3
(Source : cahier de SVT de mon fils...)	

s'est assis près de moi. Deux relations de travail plus que deux amis. La jeune femme a allumé sa cigarette et soufflé la fumée vers le garçon, d'une manière inconsciemment agressive. Le jeune homme, en rougissant sous l'affront, a bégayé :

– Ça ne vous dérange pas si je ne fume pas?

Il rappelait ainsi à la demoiselle que celui ou celle qui fume doit demander la permission de le faire de la façon consacrée :

– La fumée ne vous dérange pas?

J'avoue être moi-même exaspérée par ces jeunes surfeurs du dimanche qui souillent les plages de ma région en écrasant leurs mégots dans le sable. Une petite boîte en fer avec un couvercle pourrait leur servir de cendrier, non? Tout cela est une

question de bonne éducation, de respect des autres ou de la nature. Mais, en réalité, quand on fume très jeune, on y met de la provocation. On ne va pas demander l'autorisation! Au contraire, on fumera dans les endroits où la cigarette est interdite. Un après-midi, dans un train de banlieue, j'ai vu passer dans mon compartiment non fumeurs un petit gars de 10 ans, la clope à la main et marmonnant le rap de IAM, *Petit frère*. Bien sûr, c'était lui, le petit frère caillera qui en remonte aux grands!

Malgré les restrictions que je viens d'apporter, fumer n'est pas « mal », mais c'est peut-être le signe que quelque chose va mal. Un jeune qui fume répète dix fois, vingt fois par jour les mêmes gestes. C'est calmant. L'écran de fumée donne un certain flou au monde, le jet de fumée maintient les autres à une certaine distance. C'est rassurant. Quand le jeune fumeur est seul, il est encore deux avec sa cigarette. C'est consolant. La cigarette, est-ce la tétine, est-ce le nounours ? Ou bien est-ce « Allô, Maman, bobo » ? La cigarette fait taire la révolte ou la douleur. Elle berce, elle endort. On est loin de l'image de « caillera » ou de « rebelle » que les jeunes voudraient se donner en fumant.

Le jour où l'on n'a plus besoin d'une cigarette pour se donner une contenance en groupe, où l'on ne

fume plus pour être accepté par les autres, où l'on ose parler, marcher dans la rue, s'asseoir à une terrasse de café sans fumer, ce jour-là, on est grand. Celui qui réussit à se séparer de sa cigarette en ressent beaucoup de fierté. Il a raison. Il a fait preuve de courage et de volonté. Il a surmonté un chagrin, presque comme s'il perdait une amie. Au bout de sa route – et elle fut longue –, il a retrouvé son souffle et ses émotions, il s'est rapproché des autres sans se fondre dans la masse, il a pris confiance en lui. Le contraire de « dépendant », c'est « indépendant », tout simplement.

▶ **Et si vous vous informiez tout seul, comme un grand ?**
3615 TABATEL
Sites Internet :
www.tabac-net.ap-hop-paris.fr
www.ccsh.ca/ncth/cndts.html
www.libertel.montreal.qc.ca/info/tabac/index.html

Et si on devenait grand?

11 mai 1999

Maman a passé la tête par la porte de ma chambre :

– Serge, tu n'es pas encore devant ton ordinateur ?

– Non, Maman, j'ai éteint. Tu sais, j'ai réfléchi. J'en ai assez de tous ces jeux de carnage. Je pense que je vais les revendre et m'acheter un cédérom sur la visite guidée du Louvre. Juliette m'a montré la présentation. C'est super-instructif.

Maman s'est étonnée :

– Tu es copain avec Juliette, maintenant ? Je croyais que c'était, comment tu dis déjà ? une « pouf » ?

J'ai protesté :

– Maman ! C'est Maxime qui dit ce genre de grossièretés. Moi, je cherche des synonymes. Juliette est un peu un boudin, mais c'est aussi la première de la classe.

Maman a ricané :

– C'est sur elle que tu pompes pour tes contrôles de maths ?

J'ai encore protesté :

– Mais Maman ! Je ne triche plus. Mes résultats se sont améliorés en maths parce que je travaille davantage. Et je ne me mets plus à côté de Nathalie parce qu'elle me distrait en cours.

Soudain, j'ai entendu la voix de mon frère qui disait :

– Vas-y, enfonce les autres ! C'est pas toi qui clopais l'autre jour dans le couloir ?

C'est là que mon réveil a sonné. P'tain, cette trouille que j'ai pas eue !

Au petit déj', j'ai dit à Maman en enfournant ma tartine :

– Tu sais quoi ? J'ai rêvé que j'étais parfait.

– Parfait ? a répété Maman, l'air de ne pas comprendre.

– Ben, ouais, parfait, zéro défaut. Je voulais même acheter un cédérom éducatif.

Maman a posé la main sur mon front pour voir si j'avais de la fièvre. Je lui ai rappelé :

– C'était en RÊVE ! En vrai, je veux m'acheter Tomb Raider III.

Maman a poussé un soupir de soulagement :

– Ah, tu me rassures !

Maman n'est pas zéro défaut non plus. Mais au moins, elle me comprend.

Journal de Serge T. (12 ans)

PERSONNE N'EST PARFAIT

Ni mes héros ni mes enfants ne sont « zéro défaut ». Je ne vois pas pourquoi je l'exigerais de vous. Il y a quelque temps, un garçon de sixième m'a demandé :

– Est-ce que vous croyez que vous êtes parfaite ?

Je suis restée un moment sans réponse, surprise qu'il puisse me supposer capable d'une telle prétention. Les adultes essaient-ils de vous faire croire qu'ils sont sinon parfaits, du moins pas loin de l'être ? C'est vrai que nous n'aimons pas tellement que vous nous preniez en faute. Pourtant, au fur et à mesure que je réfléchissais sur certains sujets, la violence sur écran par exemple, j'étais bien obligée de reconnaître que je ne suis pas zéro défaut. J'ai regardé deux fois *Piège de cristal* avec une féroce délectation. J'ai un penchant – virtuel – pour la kalachnikov. On ne peut pas se refuser tous les plaisirs de la vie !

Mais il y a des limites à ne pas dépasser, une ligne jaune à ne pas franchir. Dans cette société permissive, la difficulté pour vous consiste à situer cette ligne. Je vous ai parlé à plusieurs reprises de la transgression. Transgresser, c'est un mouvement vital pour quelqu'un qui grandit. Il y a une loi, valable pour tous, qui prend diverses formes, du Code de la route au Code civil en passant par le règlement du collège. Vous avez des tentations de l'enfreindre, des envies de traverser en dehors des clous. J'ai pris quelques exemples de transgression, du gros mot à la gruge. J'aurais pu vous en donner d'autres qui vous concernent également. Par exemple?

LIGNE JAUNE !

La curiosité sexuelle est un tourment dès 10 ou 11 ans. Les planches anatomiques du dictionnaire et les statues des musées qui suffisent au contentement intellectuel de ma fille de 5 ans ne vous fournissent plus assez de renseignements. Le programme de cinquième en SVT avoue lui-même très vite ses insuffisances. Alors, que faire? On peut grappiller des infos dans les magazines de jeux vidéo, très tournés macho-sado-maso. On vous y promet des jeux avec des prostituées dominatrices que vous pourrez (virtuellement) posséder et on vous vante les gros lolos de Lara Croft. Commentaire du journaliste : « Le joueur sur PC n'est plus un jeune adolescent prépubère, mais bien souvent un jeune adulte normalement constitué. » Hmm, vous êtes bien la preuve du contraire !

Skyrock va aussi venir à votre secours en vous proposant de passionnantes conversations sur la sexualité des taulards et la difficulté d'exister quand on mesure plus de 90 de tour de poitrine. L'animateur confond souvent humour et vulgarité. Est-ce qu'en l'écoutant vous passez la ligne jaune ? Il y a une tradition en France dite de « gauloiserie », qui malmène l'image de la femme et dégrade avec de grosses blagues ce qu'est la sexualité. Ce n'est pas malin, mais c'est rarement dangereux. Quant aux autres manières de s'affranchir, vous en avez entendu parler : ce sont les magazines et les cassettes pornographiques, les messageries roses du Minitel et les propositions « hot » ou « dirty » d'Internet. En principe, les mineurs ne devraient pas pouvoir accéder à ces « divertissements » d'adultes. En réalité, rien de plus facile que de s'approvisionner. On dit au vendeur que *Playboy* c'est « pour mon grand frère », et le tour est joué. J'ai assisté dans un compartiment de train au dépeçage verbal d'une revue porno par une bande de gosses de 10-11 ans. Leurs commentaires étaient encore plus écœurants que les photos. Ligne jaune ? Personne n'a protesté, pas plus moi que les autres voyageurs, pourtant indisposés.

Il y a quelques semaines, j'ai rencontré un garçon qui avait été exclu de son collège pour trois jours. Lors d'une sortie de classe, il avait coincé une fille, s'était déculotté devant elle et lui avait donné un

ordre que je ne peux même retranscrire. Des cama-
rades étaient intervenus pour faire cesser la scène.
Ligne jaune? Oui, bien sûr, elle est franchie. Mais
la sanction n'est pas tombée, car vous admettrez
que trois jours d'exclusion pour une telle atteinte à
autrui, c'est presque encourager à la récidive!

Je vais vous donner un deuxième exemple et vous indiquerez vous-même le moment où, selon vous, la ligne jaune est franchie.

Voici. Les jeux vidéo sont ruineux et ils se démodent vite. Les jeunes amateurs ont très vite compris qu'un jeu sur ordinateur, ça se recopie. Donc, on se prête les jeux, on les recopie sur son ordi et c'est autant d'argent de perdu pour les fabricants. Je regrette ce petit trafic qui se fait pourtant sous mon nez parce que je pense aux créateurs qui sont ainsi privés de leurs droits d'auteur*.

Depuis peu, ce petit trafic entre copains est devenu un commerce parce qu'on peut désormais acheter en grande surface un graveur de CD. Il vous en coûtera 2 000 francs. Mais vite amortis, car ce graveur permet de reproduire à l'identique les CD, qu'il s'agisse de rap ou de jeu de stratégie. Il suffit pour cela d'emprunter l'original à un copain et d'acheter un CD vierge. On met le disque à copier dans son lecteur et on glisse le CD vierge dans le « toaster ». Une demi-heure plus tard, le clone est bon pour le service. Il vous a coûté 10 francs.

* Les *droits d'auteur*, c'est le petit pourcentage que touche un musicien, un écrivain, un créateur de jeu vidéo sur le prix d'un livre ou d'un disque vendu. C'est ce qui lui permet de vivre de son métier.

On peut se contenter de cette gentille économie. Mais on peut aussi se faire un bel argent de poche en revendant le CD cloné à 50 francs. Certains poussent le souci de perfection jusqu'à faire une photocopie couleur de la jaquette originale. Les maisons de disques et de jeux vidéo ne savent plus que faire pour arrêter les « pirates des cours de récré ».

Mon fils a un copain qui emprunte des CD aux naïfs, les reproduit (les abîme éventuellement) puis vend ses CD clonés à d'autres naïfs. C'est exactement la même chose que s'il volait des CD dans les rayons de la Fnac et, du reste, son geste est puni par la loi. Six mois de prison avec sursis* et 50 000 francs d'amende pour deux jeunes de 20 ans récemment interceptés qui fabriquaient et commercialisaient des jeux vidéo sur PlayStation. Alors, où avez-vous situé la ligne jaune? Tout dépend de vos pratiques. Le tricheur est indulgent pour celui qui truque sa déclaration aux impôts. Le pollueur pardonne à celui qui vide sur le trottoir les cendriers de sa voiture. Le chauffard trouve de bonnes excuses à celui qui monte à 180 km/h sur l'autoroute. Si vous avez déjà copié

---

* **Une peine de prison avec** *sursis* **n'est appliquée réellement que s'il y a récidive.**

des jeux sur votre ordinateur, vous allez peut-être absoudre celui qui grave des CD. Qu'est-ce qui est bien? Qu'est-ce qui est mal? Est-ce à nous d'en décider, avec toutes nos faiblesses? N'y aurait-il rien qui nous l'indique de façon certaine, de même que le feu rouge dit « stop » aux conducteurs?

NUL N'EST CENSÉ IGNORER LA LOI

Cette phrase, un peu compliquée, signifie en clair que tout le monde doit connaître la loi. La loi ne dit pas le bien et le mal, mais ce qui est autorisé et ce qui est interdit. La loi ne se discute pas. Elle s'applique. Le viol est puni par la loi. Le vol est puni par la loi. Aucune société ne peut vivre sans lois. C'est la loi qui permet de vivre ensemble. Même la Mafia a ses lois, ce qui prouve que la loi n'est pas toujours la même chose que le bien! On lui demande cependant de protéger les citoyens du mal que certains pourraient leur faire. Dans l'exemple précédent, je parie que, si vous ne l'aviez fait auparavant, vous avez mis la ligne jaune dès que j'ai parlé de prison et d'amende! C'est la fameuse « peur du gendarme » qui fixe les limites. Mais certains adolescents narguent aussi la police avec cette certitude que, puisqu'ils sont mineurs, la loi ne peut rien contre eux. Dans leur esprit, « mineur » signifie « impuni ».

Vous savez déjà par le règlement du collège que ce
n'est pas le cas. Vous ne
rendez pas à temps un
devoir? Vous avez zéro.
Vous ne faites pas
signer le zéro à vos
parents? Vous avez une
heure de colle. Vous
n'allez pas à l'heure de
colle? Vos parents sont
convoqués. Vous interceptez la

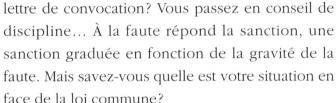

lettre de convocation? Vous passez en conseil de
discipline… À la faute répond la sanction, une
sanction graduée en fonction de la gravité de la
faute. Mais savez-vous quelle est votre situation en
face de la loi commune?

La situation des mineurs a été défi-
nie par l'ordonnance du 2 février
1945 qui reste valable aujourd'hui.
Le mineur délinquant de moins de
13 ans ne peut pas être placé en
garde à vue, c'est-à-dire retenu au
commissariat, sauf s'il est soup-
çonné d'un crime. Même dans ce
cas-là, la garde à vue ne dépassera
pas une vingtaine d'heures. Le
délinquant de moins de 13 ans est
donc soit remis à sa famille, soit
placé dans un établissement
d'accueil.

Au-delà de 13 ans, le jeune délinquant n'est pas du tout impuni, comme se l'imaginent certains. Qu'il s'agisse d'un vol, d'une dégradation de biens ou d'une agression physique, le mineur risque de se retrouver devant le juge pour enfants. Celui-ci l'« admoneste », c'est-à-dire lui rappelle la loi et lui explique, devant ses parents, qu'en cas de récidive* la sanction tombera. Pour 90 % de jeunes, ce sera le seul épisode judiciaire de leur carrière. Ils n'y reviendront pas !

Mais il peut y avoir d'autres formes de sanction. On exigera par exemple d'un jeune agresseur qu'il présente des excuses à sa victime ou d'un tagueur qu'il répare ses dégradations. Sauf pour un crime, un mineur entre 13 et 16 ans ne peut pas être emprisonné, mais il arrive qu'il tâte de la détention provisoire*. Pendant plus de trois mois, sept adoles-

* Il y a *récidive* quand on se rend coupable d'un second méfait. Un voleur récidiviste peut voir transformer une première peine de prison avec sursis en prison ferme.

* On met en *détention provisoire*, c'est-à-dire en prison, une personne qu'on soupçonne d'un délit ou d'un crime. Cette personne peut d'ailleurs être ensuite reconnue innocente.

cents de moins de 16 ans ont terrorisé un garçon de 12 ans, le menaçant parfois de mort, pour le forcer à prendre dans la caisse de ses parents des sommes allant jusqu'à 1 000 francs. La mise en détention provisoire a été réclamée à l'encontre de ces adolescents. Cette détention, que seul le juge pour enfants peut décider, ne doit pas dépasser dix jours. La justice n'a pas pour but d'exercer une vengeance sur un mineur, mais de l'aider à assumer* son geste. Il faut qu'il se reconnaisse responsable et qu'il cesse de dire, comme c'est souvent le cas, qu'il n'y est pour rien ou que c'était pour rigoler.

C'EST PAS DE MA FAUTE !

Et même si ça l'était, « je l'ai pas fait exprès », « c'est toujours moi qu'on accuse » et « les autres, ils le font aussi ». Il est très difficile d'admettre que ce qu'on n'aurait pas dû faire, on l'a fait quand même. C'est difficile pour les enfants, les adolescents, les adultes.

Les tout-petits nient parfois effrontément leurs bêtises. Je me suis ainsi retrouvée aux prises avec ma petite fille qui refusait absolument de reconnaître qu'elle avait gribouillé sur un mur. Les petits enfants aimeraient être parfaits et ils ne s'identifient pas du tout au vilain garçon qui a tapé la petite fille

---

* **Quand on *assume* ses gestes, c'est qu'on en accepte d'avance toutes les conséquences, y compris celles qui sont désagréables.**

ou à la méchante fille qui a pincé le petit garçon. Ils sont beaucoup plus mécontents d'eux que ne peut l'être leur maman. Alors, ils nient. Comme je tiens à ce que mes enfants s'approprient leurs gestes, j'ai cherché comment je pourrais aider Constance à accepter sa bêtise. Me souvenant des propos d'une psychologue qui conseillait de ne pas trop culpabiliser les petits, j'ai dit :

– Ce n'est pas vraiment toi qui as gribouillé sur le mur. C'est ta main qui l'a fait. Mais toi, tu n'étais pas d'accord avec ta main.

Constance a paru très satisfaite de l'explication, si satisfaite qu'elle l'a ressortie à son frère aîné quelques jours plus tard. Elle avait cassé un de ses petits bonshommes en plomb et, au lieu de s'excuser, elle lui a tout bonnement déclaré :

– C'est pas moi. C'est ma main.

Charles a failli devenir fou de rage, car sa sœur n'en a pas démordu : non, non, ce n'était pas elle, c'était juste sa main. La psychologie n'a pas que du bon…

Certains adolescents semblent avoir gardé la pensée magique de leurs 3 ans. Ils se disent : « Si je nie la réalité, elle va disparaître. » Une bibliothécaire me racontait qu'elle avait, un jour, surpris un ado en train de fouiller le tiroir de son bureau.

– Eh bien, toi, commença-t-elle, ne te gêne pas!

Et le garçon, pris en flagrant délit, d'exploser d'indignation :

– Pourquoi c'est toujours moi qu'on accuse?

La bibliothécaire en est restée muette de surprise. Avouez qu'il y a de quoi…

QUI EST RESPONSABLE ?

« **R**esponsable » vient du verbe latin *respondere*, qui signifie répondre. Une personne responsable est quelqu'un qui répond de ses actes, qui assume en disant : « Oui, c'est moi qui ai fait cela. » Qui n'est pas responsable de ses actes? Une personne qui a agi dans un moment de folie, folie qui doit être prouvée par des experts en psychiatrie, ou qui présente des troubles mentaux. On dit que sa responsabilité est atténuée. Un petit enfant ne peut pas non plus être tenu pour responsable de ses actes. Il n'a ni le raisonnement ni l'expérience nécessaires pour cela. Il faut lui tenir la main dans la rue, le gronder s'il joue avec une prise électrique, le punir s'il frappe un bébé.

– C'est toujours vous qui commandez! s'était un jour impatientée ma petite fille.

Les adultes ne « commandent » pas. La société leur demande d'être des parents responsables. Dans le cas contraire, ils seront déchus de leurs droits pater-

nel ou maternel. Les adultes commandent même si peu qu'on parle, à l'heure actuelle, d'une « démission des parents » et d'une « crise de l'autorité ».

> ▶ Le Code civil dit que « l'enfant reste sous l'autorité de ses parents jusqu'à sa majorité. L'autorité appartient aux père et mère pour protéger l'enfant dans sa sécurité, sa santé et sa moralité. Ils ont à son égard droit et devoir de garde, de surveillance et d'éducation ».

Qu'est-ce que l'autorité ? Ma grand-mère disait : « C'est dans le regard. » Elle appelait cela « avoir l'autorité naturelle ». L'autorité, ce serait le pouvoir d'obtenir l'obéissance des autres, sans s'appuyer sur la peur du gendarme. Car l'autorité avec la contrainte, c'est la tyrannie. Mais l'autorité, dès qu'on argumente, qu'on cherche à persuader, ce n'est plus l'autorité, c'est la démocratie*. Notre société est démocratique. L'école est un lieu d'apprentissage de la démocratie. La famille s'est démocratisée. On ne peut plus revenir en arrière, au temps où le père de famille avait droit de vie et de mort sur les siens. Ni même au temps du « caporalisme adulte » dont parle Tristan Bernard, quand les enfants avaient droit à un seul verre par repas, même par grande chaleur, ou ne pouvaient lire que douze pages de leur roman avant le coucher (et pas une ligne de plus!).

Autrefois, l'adulte faisait la morale à l'enfant et la

* **La *démocratie*, c'est le régime politique dans lequel vous vivez. Les citoyens y expriment leur volonté par le suffrage universel.**

vérité semblait tomber du ciel. Aujourd'hui, nous apprenons à dialoguer et c'est ensemble que nous partons à la recherche de la vérité. Dans une société autoritaire, la frontière entre le bien et le mal est clairement tracée. Celui qui la franchit sait qu'il est en faute. Nous avons renoncé à ce qui vous semblerait de l'autoritarisme et nous sommes entrés dans l'ère des négociations. Cela ne veut pas dire que nous serons toujours d'accord avec vous ni que nous vous céderons tout. Nous allons discuter, et discuter ferme. Il y aura des éclats de voix et des portes claquées. Sur ce qui est bien, ce qui est mal, nos avis pourront ne pas concorder. Pour une clope, pour un mot de travers, que d'histoires, penserez-vous ! C'est connu, les parents ne sont pas cool. Mais dites-vous bien que si personne ne vous rappelle la loi : « On ne triche pas à un examen », si personne ne vous fixe de limites : « Pas de cigarette dans le métro », si personne ne proteste : « Non, à moi, tu ne parles pas sur ce ton-là », alors vous serez tenté d'aller plus loin dans la transgression. Vous avez besoin de braver les interdits. Cela fait partie de votre désir de vous affirmer.

Mais plus une société est

▶ « Lorsque les pères s'habituent à laisser faire les enfants, lorsque les fils ne tiennent plus compte de leurs paroles, lorsque les maîtres tremblent devant leurs élèves et préfèrent les flatter, lorsque finalement les jeunes méprisent les lois parce qu'ils ne reconnaissent plus au-dessus d'eux l'autorité de rien et de personne, alors, c'est là en toute beauté et en toute jeunesse le début de la tyrannie » (Platon).

permissive, plus les jeunes veulent savoir jusqu'où elle l'est. Ils adoptent des comportements à risque : rouler trop vite, se défoncer à l'alcool, s'éclater au shit. Ou des comportements franchement délinquants : tabasser, racketter, casser.

Voilà pourquoi, alors que nous ne sommes plus certains comme nos parents de détenir LA vérité, parfois nous vous disons fermement : non. « Non, tu ne feras pas ça, je ne suis pas d'accord. » Il m'arrive de dire ce « non » à mes enfants. Il me semble que chaque fois ils repartent vers leur vie comme allégés d'un poids. Parfois, oui, parfois, ce qui nous paraît bien ou mal pour vous, c'est à nous seuls d'en décider et d'en porter la responsabilité.

Be

Conception graphique et réalisation : Rampazzo et Associés.
ISBN : 2-7324-2592-3
Dépôt légal : avril 2000
Imprimé en Espagne par Fournier Artes Gráficas.